邓正来选译哈耶克论文集◎第二辑

知识的僭妄

——哈耶克哲学、社会科学论文集

[英] 冯·哈耶克◎著
邓正来◎译

首都经济贸易大学出版社
Capital University of Economics and Business Press
·北京·

图书在版编目(CIP)数据

知识的僭妄:哈耶克哲学、社会科学论文集/(英)哈耶克著;邓正来译.
--北京:首都经济贸易大学出版社,2014.1

ISBN 978-7-5638-2174-7

Ⅰ.①知… Ⅱ.①哈… ②邓… Ⅲ.①哈耶克,F.A.(1899~1992)—哲学思想—文集 ②哈耶克,F.A.(1899~1992)—社会科学—文集 Ⅳ.①B561.59-53

中国版本图书馆CIP数据核字(2013)第275959号

The Essays of Hayek

根据 The University of Chicago Press 1967/1978 年版翻译

知识的僭妄——哈耶克哲学、社会科学论文集

[英]冯·哈耶克 著 邓正来 译

出版发行	首都经济贸易大学出版社
地　　址	北京市朝阳区红庙(邮编 100026)
电　　话	(010)65976483 65065761 65071505(传真)
网　　址	http://www.sjmcb.com
E-mail	publish@cueb.edu.cn
经　　销	全国新华书店
照　　排	北京砚祥志远激光照排技术有限公司
印　　刷	唐山玺诚印务有限公司
开　　本	710毫米×1000毫米 1/16
字　　数	246千字
印　　张	14
版　　次	2014年1月第1版 2022年10月第7次印刷
书　　号	ISBN 978-7-5638-2174-7
定　　价	35.00元

著作权合同登记号 图字:01-1999-2846号

图书印装若有质量问题,本社负责调换

出版说明

1997 年,我们启动了“诺贝尔经济学奖获奖者学术精品自选集”的出版工作,计划陆续出版诺贝尔经济学奖获奖者的代表性著作,作品的遴选原则以获奖者自己选择为主,对于已经逝世的获奖者,则邀请其家人、同事、学生或国内专家学者代为确定。

1999 年,我们邀请邓正来先生为我们选编、翻译哈耶克的论著,邓先生欣然应允,精选了 25 篇哈耶克的论文,编译为《哈耶克论文集》一书。这 25 篇论文涉及政治学与法学、哲学与社会科学、经济学与历史学等方面,涵盖了哈耶克的主要研究领域,全面展示了其学术成就。本书开篇,邓先生还撰写了长篇评注,系统阐释了哈耶克的主要思想。可以说,这是一部译、著并重的学术精品。书籍出版后,在学术界产生了广泛深刻的影响,此书也成为我们这一系列图书中最具影响力,学术水准和学界关注度最高的作品之一。

书籍出版 10 余年来,我们一直引为骄傲,也对邓先生当年的慷慨支持深为感念。然而世事难料,2013 年 1 月 24 日,邓正来先生因病在上海去世,惊闻噩耗,我们甚为悲痛,也很想以合适的方式向邓先生表达哀思和纪念。经过讨论,我们决定将《哈耶克论文集》一书重新编排后出版,使这部宝贵的学术精品以更为新颖精美的方式呈现于世,既表达我们对邓正来先生的纪念,也借此进一步推动哈耶克、邓正来两位先生思想的传播。

此次出版,我们对原书重新进行了校勘,并将原书内容分为三辑,以丛书“邓正来选译哈耶克论文集”的形式推出。三辑分别是:《民主向何处去？——哈耶克政治学、法学论文集》《知识的僭妄——哈耶克哲学、社会科学论文集》《作为一种发现过程的竞争——哈耶克经济学、历史学论文集》。三辑内容对应于原书的三篇,经重新排版后,版面更为疏朗,装帧更为精美,更便于读者阅读和收藏。对于原书中的文字,除少数错讹之处和个别说明文字加以改动外,一如原貌。

在本丛书的出版过程中,我们得到了邓先生的女儿邓琳的大力支持,邓女士还为我们提供了邓正来先生的照片,对于她的理解和帮助我们深表谢意。

哲人其萎,风范长存。谨以此书纪念邓正来先生!

目 录

第二辑 哲学和社会科学

第二辑 ◎ 哲学和社会科学

理性主义的种类[*][**]

一

在对我们这个时代占据支配地位的某些信念做批判考察的过程中，我有时不得不进行一种非常困难的抉择。一如我们所知，社会中常常会发生这样的情况，即人们往往会用一个很好的语词（亦即在较为一般的意义上人们用以描述一种完全可欲且得到人们普遍赞同的活动的那种词语）去称谓某些颇为具体的要求。实际上，我认为有必要予以反对的那些具体要求常常是这样一种信念的结果，即如果某种特定的态度一般来讲是有益的，那么无论人们把这种态度用于何处，其结果都肯定是有益的。这种情形给那些批判当下流行信念的人士所造成的棘手问题，我最初乃是在考虑与“计划”（planning）这个术语相关的问题的时候遭遇到的。一如人所皆知的那样，我

---

* 本文译自哈耶克著：*Studies in Philosophy, Politics and Economics*, The University of Chicago Press, 1967, pp. 82 ~ 95。

** 本文是我（哈耶克）于 1964 年 4 月 27 日在日本东京的 Rikkyo 大学所做演讲的文稿，此后发表在：*The Economic Studies Quarterly*, Tokyo, Vol. XV, 3, 1965。

们应当三思而后行，而且以一种明智的方式安排我们的生活也会要求我们在我们采取行动之前对自己的目标有清楚的认识。这个道理简直就是自明之理，因此，人们很难相信对计划的诉求居然会是错误的。尤其需要指出的是，所有的经济活动实际上都是就如何把资源用于实现彼此竞争的目的而做出的计划性决策。因此，一个经济学家竟然反对最为一般意义上的“计划”这件事，也就显得特别荒谬了。

然而值得我们注意的是，在20世纪20年代和30年代，人们却渐渐地开始在一种较为狭义且较为具体的意义上使用“计划”这个好字眼。当时，它已然成了人们广为接受的一个口号并被用来指称这样一种诉求，即所有人的经济活动都应当由中央权力机构根据其所制订的某项单一计划进行集中指导，而不再是我们当中的每个人都应当明智地计划各自的经济活动。因此，“计划”变成了中央制定的集体性计划，而有关是计划还是不计划的讨论也无一例外地仅指涉中央制定计划这个问题而已。这种情势，亦即“计划”这个好词被中央计划者盗用来意指他们所制订的特定方案的情势，给那些反对这些计划方案的人士造成了极大的麻烦。他们是应当去努力拯救这个好词并恢复其原来的合理用法——亦即坚持主张自由的经济是以众多个人的分立计划为基础的，而且与一种中央计划制度相比较，自由经济制度也确实为个人提供了计划其个人生活的更大的范围？或者说，他们还是应当接受该术语后来所意指的那种狭窄义涵并把他们的批判矛头干脆指向这种意义上的“计划”？

不论是对还是错，我还是坚定地认为——尽管我的这个看法多少会使我的一些朋友感到不舒服——事态已经到了不堪收拾的地步，因此，现在再去捍卫该词的合理用法已经为时过晚了。正如我的论敌赞同那种意指中央计划所有经济活动的“计划”一般，我也把我的批判矛头直接指向了“计划"——当然,我的这种做法会使我的论敌在利用这个好词的方面占些风头,并使我自己蒙遭这样一种非难,即我反对我们在安排自己事务时使用我们自己的智慧。然而,我还是坚信,从当时的情形来看,对"计划"施以这样一种迎头痛击的做法,实是粉碎那种已变成"神圣"字眼的东西所必需的。

较为晚近的时候,我在"社会的"(social)这个神圣字眼上也遇到了同样棘手的问题*。像"计划"这个词一样,"社会的"这个词也是我们这个时代极为流行的"圣"词之一,而且从该词所具有的那种"属于社会"的原初含义来看,它本来也是一个极其有用的语词。但是,在该词的现代用法中,比如说与"社会正义"(social justice)组合在一起使用的时候(而人们原本就认为所有的正义都是一种社会现象!),或者在把我们的社会义务与道德义务对立起来的时候,"社会的"这个词也就成了我们这个时代最容易引起思想混乱且最具危害的语词之一。这不仅是因为它本身空洞无物,人们可以随心所欲地赋予它以任何专断的含义,而且还因为它会使所有与它组合在一起的术语都丢失它们原本具有的明确含义(一如德语中所具有的那些组合词:*soziale Marktwirtschaft* 或 *sozialer Rechtsstaat*)。因此,我认为自己有责任采取

---

* 哈耶克对人们滥用"社会的"(social)一词的批判,极为重要。实际上,哈耶克有关唯理主义经由"自然与人为"二分观而达致的"自然与社会"二元论的真正谋划乃在于建构出一种对社会施以控制的支配关系的"一元论的社会观"的论述,正是通过他一以贯之地对"社会的"这个实体化和同质化概念在唯理主义理路支配下被运用于解释社会现象的谬误的彻底批判而达致的。关于哈耶克对"社会的"这个概念及其所导引的"社会正义"等观念的批判,最为集中的论述请参见本丛书第一辑所收录的哈耶克于 1961 年所撰写的《什么是"社会的"?——它究竟意味着什么?》一文;当然也可以参见哈耶克所撰《泛灵论词汇与混乱的"社会"概念》,载于《不幸的观念:社会主义的谬误》,刘戟锋等译,东方出版社 1991 年版,第 159 ~ 169 页。——邓正来按

一种反对“社会的”这个词的立场，而且还应当特别表明社会正义这个概念实是一个完全空洞的概念，它只会产生一种头脑清醒的人士应当加以避免的那种极具误导性的幻象而已。但是需要指出的是，我对我们这个时代神圣“偶像”之一的“社会正义”所做的抨击，再一次使许多人把我看成了一个不负责任的极端分子，完全否定了我们这个时代的精神。

这类好字眼的另一个事例乃是“实证的”或“实证主义的”（positive or positivist）*。需要指出的是，如果这个词没有被赋予一种特殊含义的话，我原本是很乐意用它来描述我自己所持的立场的，但是我却感到不得不转而反对这个术语。人们赋予该术语的特殊含义再一次造成了这样一种局面，其间，我不得不把这个绝好的词任由我的论敌去使用，并且任由他们把我指责成一个“反实证主义者”（anti-positivist），尽管我所捍卫的观点在很大程度上也是实证科学，而且与那些自封为实证主义者的理论在实证科学这一点上无甚区别。

二

现在，我又被卷入了另一场思想纷争之中，而这一次我唯有做出大量的解释才有可能把这个问题说清楚，因为像本文第一节中那样的简单讨论根本就无助于这个问题的澄清。我所信奉的那种一般性社会哲学（general social philosophy），有时候被称作是一种反理性主义的（anti-rationalist）哲学，而且至少就我在这个方面所承继的那些主要的思想前辈如孟德维尔（B.

---

* 关于哈耶克对“实证的”或“实证主义的”等概念的批判，请参见本丛书第二辑所收录的哈耶克于1970年所撰写的《建构主义的谬误》一文，尤其是其间第七、八、九节；读者也可以参见哈耶克所撰《法律实证主义的意识形态》和《纯粹法律理论》，载于《法律、立法与自由》第二卷“社会正义的幻象”，邓正来等译，中国大百科全书出版社2000年版，第69～84页。——邓正来注

Mandeville)、大卫·休谟(David Hume)和卡尔·门格尔(Carl Menger)而言,就像其他人一样,我本人也偶尔采用那个术语。然而,这却引发了大量的误解,以至于我现在认为,这个称谓实在是一个应当避免采用的危险而且极具误导性的说法。

在这里,我不得不再一次去应对这样一种局面:一些思想家有效地宣称他们掌握了这个好词所具有的唯一恰当的用法,因而也就得到了“理性主义者”这个称号;而那些对他们有关理性之恰当用法的观点持不同意见的人,也就几乎不可避免地被贴上了“反理性主义者”的标签。这似乎给人们留下了这样一种印象,即后者对理性评价较低,然而事实上,他们却十分希望使理性发挥更为有效的作用,并且明确地认为,恰当地洞见个人理性在调整诸多人际关系的方面的运用存在着若干限度,乃是有效运用理性的前提。

在我看来,似乎存在着这样一种理性主义:由于这种理性主义不承认个人理性的力量所具有的这些限度,所以它实际上也就趋于使人之理性变成了一种较为低效的工具(这当然是与理性原本可能具有的效力相比较而言的)。这种理性主义乃是一种比较新近的现象,尽管它的根源可以追溯至古希腊哲学。然而值得我们注意的是,这种理性主义的现代影响只是始于16,17世纪,尤其是与法国哲学家笛卡尔(Rene Descartes)对这种理性主义的主要原则的阐释紧密联系在一起的。在很大程度上讲,正是经由笛卡尔,“理性”(reason)这个术语才改变了它的含义。对于中世纪的思想家来说,理性在很大程度上意味着人们在遇见真理尤其是道德真理的时候认识这种真理的能力[1],而不是一种依据明确的前提进行演绎推理的能力。此外,他们还明确地意识到,许多文明制度并不是理性的发明,而是那种被他们称之为“自然的”东西——它们与所有发明之物构成了鲜明的对照,亦即自发生成之物。

正是为了反对这种明确承认许多文明制度不是人刻意设计的产物的传统自然法理论，培根（Francis Bacon）、霍布斯（Thomas Hobbes），特别是笛卡尔的新理性主义才宣称道，所有有用的人类制度都是而且也应当是有意识理性刻意创造的产物。在笛卡尔看来，这种理性就是几何学精神（或严格精确的精神：*esprit geometrique*），亦即一种依据少数几个显见且毋庸置疑的前提进行演绎推理而达致真理的心智能力。

在我看来，这种幼稚的理性主义的最佳称谓乃是唯理论建构主义（rational constructivism）*。自此以后，正是这种观点在社会领域中导致了无

---

* 英语 rational 及其相应名词 rationalism，汉语世界一般译作“理性主义的”和“理性主义”，并无不妥。然而值得我们注意的是，由于哈耶克的自由主义理论旨在批判主要源出于欧陆的“理性主义”，由于哈耶克的自由主义理论强调自生自发的发展，由于哈耶克的知识论还强调人的必然的无知，又由于中文词“理性主义”所具有的某种一般性（或中性）色彩，这一切都易于使人们误以为哈耶克的自由主义理论是一种反理性的理论，至少是一种趋向于贬斥理性的理论（东方出版社 1991 年出版哈耶克《不幸的观念——社会主义的谬误》中译本，该译本的“出版说明”中就这样认为，“在哈耶克看来，社会主义理想是抬高理性、滥用理性的结果，所以，贬低理性的地位就成了哈耶克的立论基础。……《不幸的观念》这本书自始至终，就是在通过贬斥人类的理性来为现有的资本主义制度辩护……”）。这里值得我们注意的是，哈耶克的自由主义理论既不是一种反理性的理论，亦不是一种旨在贬斥理性的理论。哈氏理论所反对的只是那种宣称“理性”万能和建基于其上的“设计”社会发展的唯理主义欲求，以及“理性”能主宰自身的论点和立基于其上的对理性不及的因素和人之必然无知的否认取向。因此，在我看来，哈耶克的自由主义理论乃是一种确当强调理性的理论，对理性毫无贬斥的含义。套用哈耶克自己的话说，“……如果有必要对理性之用途寻求确当的限度，那么发现这些限度本身就是一项极为重要的且极为棘手的运用理性的工作。……如果说我们在这里的侧重点始终在于理性的限度方面，那么我们的意思就一定不是说理性根本不具有任何重要的建设性使命”（《自由秩序原理》第四章第十节）。因此，为了更加凸显哈耶克所反对的那种“理性主义”的特征，我一直将 rational 和 rationalism 译作唯理主义的（唯理论的）和“唯理主义”。——邓正来按

从估量的危害,而不论它在技术领域中取得了何等伟大的成就[如果有人认为把这种观点称之为“建构主义”,我又一次把一个好词交到了我的论敌的手上,那么我应当指出的是,作为19世纪最伟大的自由主义者之一的格拉斯通(W. E. Gladstone)早就在这个意义上使用“建构主义”这个术语了。当时,他用这个术语来指称一种我在过去因没有更为恰当的术语而只能把它称之为“工程型心智”(engineering type of mind)的态度。我现在认为,“建构主义”乃是那种只讲实用的态度的最佳称谓,因为这种态度通常是与那种在理论领域中被我称之为“唯科学主义”(scientism)的学说紧密相关的][2]。

这种观点在17世纪占据支配地位的事实,实际上意味着当时的人们又重新堕入到了早先的幼稚思维方式之中,亦即重新信奉那种习惯于把所有的人类制度——而不论是语言还是书写、是法律还是道德——都视作是某个人格化发明者之产物的观点。据此我们可以说,笛卡尔式的唯理主义完全无视历史进化过程中的各种力量这一点,绝不是偶然的。这种唯理主义宣称,它适用于过去的观点,也就是它适用于未来的那种方案:完全知道自己过去所作所为的人类,也应当能够按照他们的意愿创造出他们的理性过程能够使他们设计出来的那种文明和社会秩序。这种意义上的唯理主义乃是这样一套说教,它认为:第一,所有有益于人类的制度在过去都是人们在明确意识到它们所具有的可欲结果的情况下发明出来的,因此人们在未来也应当按照这种方式去发明这样的制度;第二,只有当我们能够证明这些制度在任何特定的情形中所产生的特定结果都会比另一种安排所会产生的结果更优越的时候,我们才应当对它们表示赞同和尊重;第三,我们完全有能力按照这种方式来型构我们的制度,进而使我们的制度在所有可能的结果当中切实实现那些我们认为比其他所有结果更为优越的结果;第四,当我们对所有因素做有意识的思考能够使一种与自生自发过程的结果不同的结果变得更为优越的时候,我们的理性就决不应当再去诉诸那些自发的或机械的手段。值得注意的是,现代社会中的唯社会论、计划制度和全权主义,都是从这种社会唯理主义或建构主义那里派生出来的。

三

一如前述,笛卡尔式唯理主义及其所有的派生思潮都认为,人类的文明乃是人之理性的产物。因此,我们现在也许可以通过追问这样一个问题来明确指出我们所关注的核心问题,即人类文明是否像唯理主义者所认为的那样真是人之理性的产物?或者,事实是否正好与此相反,也就是说,我们是否应当把人之理性视作是一种文明的产物——这种文明并非人类刻意成就的而毋宁是由进化过程逐渐发展出来的?当然,在某种程度上讲,这是一个"先有鸡还是先有蛋"的问题——但是谁也不会否认这样一个事实,即人之理性和人类文明这两种现象持续不断地发生着互相影响。然而,笛卡尔式唯理主义的典型观点却始终坚持主张上述第一种解释,亦即坚持认为一种先行存在的人之理性设计出了各种制度。从"社会契约论"(social contract)到那种认为法律乃是国家创造之物的观点,直至那种认为既然是我们创造了我们的制度,那么我们也就能够按照我们的意愿改变这些制度的观点,整个现代思想都充满了从笛卡尔唯理主义传统中派生出来的各种观点。此外,这种唯理主义观点还有一个特点,即它根本就没有为社会理论本身留有任何空间,因为社会理论的问题都是从这样一个事实中产生的:人们各自采取的行动往往会产生一种秩序——尽管这种秩序是未意图的和未预见的,但是它却被证明是人们实现他们为之努力的各自目标所不可或缺的。

需要指出的是，社会理论家，尤其是经济理论家，在这个方面做出的近两百多年的努力，在今天出人意料地得到了社会人类学这门新学科的支持。社会人类学家所做的调查在越来越多的领域中证明，长期以来一直被视作是理性发明的东西实际上乃是一种进化和选择之过程的产物，而这种过程则与我们在生物学领域中发现的那种进化和选择之过程极其相似。一如我们所知，当今的社会人类学家实际上只是在继续推进蒙德维尔、休谟及其在苏格兰哲学家中的传人在此前所开创的工作。而我之所以把社会人类学称之为一门新学科，实是因为这些思想前辈所开创的这项工作随着他们此后的追随者把关注点越来越限于狭窄的经济学领域而在很大程度上被人们遗忘了。

因此，从其较为一般的形式来看，这项发展所取得的主要成果乃是这样一种洞见：即使是人的思考能力也不是个人所具有的一种先天禀赋，而是一项文化遗产，亦即某种并不是按照生物方式继承而是通过示范和传授——主要是通过传授语言（并且隐含在语言之中）——的方式予以传承的东西。我们在孩提时代习得的语言在很大程度上决定了我们的整个思维方式以及我们对这个世界的看法和解释，而其程度很可能要比我们意识到的程度大得多。一如我们所知，语言这种媒介并不只是把此前数代人的知识传递给我们的工具，因为语言结构本身还隐含有某些有关这个世界之性质的观点。此外，通过学习一种特定的语言，我们也获得了一幅特定的有关这个世界的图景，亦即我们进行思考的一种框架，尽管我们在其间思考的时候并不会意识到它的存在。当我们还是孩子的时候，我们就学会了按照我们并不明确知道的规则（语法）使用我们的语言，因此我们在学习语言的时候，不仅学会了按照语言规则行事，而且也学会了按照解释这个世界的许多其他规则以及适当行事的许多其他规则行事——这些规则指导着我们的活动，虽说我们根本就不曾明确阐释过它们。默会学习(implicit learning)这种现象显然是文化传播最为重要的组成部分,但却是我们迄今为止还不甚理解的那种现象。

四

我在上文论及的那个事实很可能意味着:第一,我们所有的思想活动都受着我们并不意识的规则的指导甚或支配;因此,第二,我们有意识的理性始终只能考虑到决定着我们行动的某些情势。一如前述,理性思考只是指导我们行动的诸因素之一;当然,这个事实早就为某些论者认识到了。这一点可以见之于经院学派的一句格言:**理性不是法官而是一种工具**(*ratio est judex, sed instrumentum*)。但是,人们对这个问题的明确认识却始于大卫·休谟,因为他在反对当时的建构主义唯理论时指出,"道德规则并不是我们理性所达致的结论"。当然,这个道理还可以适用于我们所具有的所有价值,因为这些价值正是理性所服务的目的,而不是理性所能决定的目的。这并不意味着,理性在裁定价值冲突——所有的道德问题都是由价值冲突引发的问题——的时候毫无作用可言。但是值得我们注意的是,证明理性在这个方面只具有有限作用的最佳做法,却是对我们裁定价值冲突的方式做一番比较仔细的分析。理性只能帮助我们认识我们有哪些可供选择的价值:发生冲突的是哪些价值,或者在这些价值当中哪些价值是真正终极性的价值以及哪些价值只是——正如一般情形所表明的那样——那种在服务于其他价值的过程中获得自身重要性的居间性价值(mediate values)。然而需要指出的是,在完成了这项任务以后,理性也就不再能够给我们提供进一步的帮助了。理性必须把它旨在服务的那些价值当作给定的价值接受下来。

需要指出的是,有关价值必须服务于科学分析有能力发现的某种功用或“目的”的事实,则是一个与此不同的问题。的确,科学的分析有助于我们对不同类型的理性主义做进一步的界分,不过前提条件是我们必须更为仔细地考察人们在解释我们为什么信奉我们所信奉的那些价值的时候所做的那些努力的性质。在那些关注道德规则的理论当中,最为著名的理论就是功利主义(utilitarianism)。功利主义有两种形式,它们为我们说明论者们在价值讨论过程中合理使用理性的做法与那种无视理性力量之限度的极为错误的“建构论”唯理主义之间的差异提供了最好的例证。

功利主义最初的合理形式,可以见之于大卫·休谟这类学者的论著之中。正如休谟所强调指出的那样,就创制道德规则而言,“理性本身是毫无作用可言的”,然而他同时又坚持认为,遵循并非任何人为此目的发明或设计出来的道德规范和法律规则,对于人们在社会中成功地追求自己的目的来说乃是不可或缺的。休谟指出,某些抽象的行为规则之所以渐渐盛行起来,实是因为那些采纳它们的群体在维续自我生存的方面变得更为有效所致。在这个方面,他特别强调了这样一种现象,即甚至当每个成员在不理解相同抽象规则之重要性的情况下遵循这些抽象规则的时候,一种秩序也会自我形成;再者,由此形成的秩序也要比另一种状况更为优越,因为在这种状况中,每个个人的行动都是由权宜之策决定的,换言之,乃是经由明确考虑某项特定行动所具有的所有具体后果这种方式加以决定的。休谟所关注的并不是某项特定行动所具有的任何可辨识的功效,而仅仅是普遍适用某些抽象规则(也包括在这样一些特定情势中适用这些规则,尽管在这些特定情势中遵循这些规则所具有的即时性的已知结果并不是可欲的)的功效。休谟采取这种做法的理据是:第一,人的智性并不足以理解复杂的人类社会所具有的全部细节;第二,正是我们的理性不足以事无巨细地安排这样一种秩序,这才迫使我们去赞成抽象的规则;第三,任何个人的智性都无力发明出那些最为适当的抽象规则,因为那些在社会发展过程中演化而成的规则积淀了远远多于任何个人所能获得的试错经验(the expedence of many trials and errors)。

笛卡尔传统中的那些论者,比如说爱尔维修(Helvetius)和贝卡利亚(Beccaria),或者他们在英国的追随者如边沁(Bentham)、奥斯汀(Austin)乃至莫尔(G. E. Moore),却把上述那种**一般论的功利主义**(this generic utilitarianism)转变成了**一种特定论的功利主义**(a particularist utilitarianism)*。一如前述,"一般论的功利主义"所探究的乃是隐含于那些经由无数代人前后相继演化而成的抽象规则之中的那种功效;而从"特定论的功利主义"所得出的最终结论来看,它无异于这样一种要求,即每一项行动都应当在充分意识到它所具有的所有可预见的结果的情况下加以判断——归根结底,这种观点将趋向于否弃所有的抽象规则并致使人们产生这样一种主张,即人类能够在完全知道所有相关事实的情况下通过事无巨细地安排所有的细节而实现一种可欲的社会秩序。由此可见,休谟所主张

* 有关"一般论的功利主义"和"特定论的功利主义",一些论者又将其称之为"行为功利主义"和"规则功利主义"。前者主张道德行为只受制于一个原则,即功利原则,行为的正当与否,完全在于它是否能够带来更多的功利或导致更少的反功利;后者则反对前者,认为如果每个人按照他个人的功利计算去采取行动,反而会导致更多的反功利,因此最高原则(即功利原则)与个别的道德行为之间还需要有约定的道德和社会的规则。就此问题而言,中文世界最精彩的研究文献,在我看来,乃是由傅伟勋做出的,参阅其所著《美国近年来的哲学研究与中国哲学重建问题》,载于《从西方哲学到禅佛教》,三联书店 1989 年版,第 203 ~ 238 页。——邓正来按

的一般论的功利主义乃是以承认理性之限度为基础的，并且期望通过严格遵循抽象规则而获致理性的充分效用，而建构主义者所主张的特定论的功利主义则是以另一种信念为基础的，即理性能够直接操控一个复杂社会的所有细节。

五

一如前述，不同类型的理性主义对于抽象规则的态度乃是截然不同的，由于这个问题一直是造成人们思想混乱的根源，所以我们有必要对它做一番更为详尽的讨论。我们也许可以通过阐明这样一个问题而使它们之间的差异凸显出来，即那些承认理性力量之限度的人想用抽象规则来扩展理性的力量，以求在极为复杂的人类事务中至少实现某种程度的秩序，因为他们知道，在这种复杂的情形中掌控所有的细节是不可能的。然而，建构论唯理主义者却只把抽象规则视作是确定特定问题时的一种工具。对于前者来说，正如托克维尔所指出的那样，“一般性理念并不是人之智性有力量的证据，而是人之智性有限度的证据”；对于后者来说，一般性理念则是一种给予了我们以支配特定情势之无限权力的工具。在科学哲学那里，这种差异也可以明显见之于那些主张建构论唯理主义的论者所持有的这样一种信念之中，即一种理论的价值必须根据它预测特定事件的能力加以判断，亦就是说，必须根据我们把足够的具体事实充实到该项理论所描述的一般性模式之中进而阐明它的特定表现形式的那种能力来判断。当然，即使是那种宣称某种模式将会出现的预测，实际上也是一种可以被证伪的陈述。在道德哲学中，建构论唯理主义倾向于蔑视任何依赖抽象的机械规则的行为，而且还倾向于把那种以这样的决策——亦即那些“根据是非曲直”判断每一种特定情形的决策——作为基础的行为视作是唯一真正理性的行为。此外，建构论唯理主义还倾向于在具体评价各种可能性方案所具有的已知后果以后再从中做出选择。

相当显见不争的是，这种类型的唯理主义肯定会把所有的道德价值都摧毁掉，而且还会使人们产生这样一种信念，即个人只应当受他对自己追求的特定目的所做的个人评价的指导；更有甚者，这种类型的唯理主义还倾向于用所追求的目的来证明所有相关手段的正当性。已故的凯恩斯勋爵在其所撰写的一篇自传体论文中极为精彩地描述了这种唯理主义所造成的那种思想状况。在描述他和他的朋友于20世纪初的那些年头里所持有的观点——他承认他本人在30年以后依旧信奉那些观点——的时候，凯恩斯勋爵指出：

> 当时，我们彻底否定了我们对遵守一般性规则负有的个人义务。我们认为自己有权利根据每种个别情势本身的是非曲直对它进行评判，并且认为自己具有成功做到这一点所需要的智慧、经验和自制力。这是我们当时信念中非常重要的一部分。当然，我们持有这种信念的方式是极为粗暴且极富侵略性的，因此对于外人来说，这是我们所拥有的最为明显的、也是最危险的特征。此外，我们也彻底否定了习惯性道德规范、惯例和传统智慧。这就是说，我们是严格意义上的反道德论者。当然，就事物的价值而言，我们必须考虑它们将产生的结果。但是，对于那些需要服从或遵守的道德义务和内在约束力，我们一概不予承认。在上帝面前，我们宣称我们是裁定自己事务的法官[3]。

需要指出的是,凯恩斯的这段陈述不仅意味着对传统道德规则的否弃,而且还意味着对承诺遵循任何种类的有约束力的抽象行为规则(无论是道德的规则还是其他的规则)的否定。它实际上意味着这样一种主张,即人的智性在不利用一般性规则或一般性原则所能给予他们的帮助的情况下便足以使他们成功地安排自己的生活。换言之,人能够通过充分且明确地评价所有可能的行动方案所具有的后果并且通过充分地认识到所有的情势而成功地协调他们的活动。当然,这种主张不仅对我们的智性力量做出了一种异常的假设,而且还对我们生活于其间的世界做出了一种完全错误的认识。它在处理我们所面临的实际问题的时候,就好像我们知道所有事实似的,而且如何掌握这些事实的任务也只是一项纯粹的知识任务而已。我担心,根据这个假设,绝大部分现代社会理论也会变得毫无价值可言了。我们生活中至关重要的事实是:第一,我们**并不是**全知全能的;第二,我们必须每时每刻调整自己的行动以适应那些我们在此前并不知道的新事实;因此,第三,我们不可能根据一项前定的详尽计划——其间,人们事前便按照理性的方式对每一项特定行动进行调整并使它与每一项其他行动相适应——去安排我们自己的生活并使之有序。

由于我们的整个生活都在于无时无刻地面对种种不可预见的新情势,所以我们不可能经由事先决定我们将采取的所有行动的方式来安排我们的生活。实际上,如果我们想使自己的生活具有某种秩序,那么唯一的方式便是采纳某些抽象的规则或原则作为我们生活的指导,并且在我们应对新情势的时候严格遵循那些规则或原则。我们的行动之所以形成了一种前后一贯且合理的模式,并不是因为它们是一项事先考虑好的统一计划的一部分,而是因为在每一项前后相继的决策中,我们始终是按照相同的抽象规则限制我们自己的选择范围的。

尽管遵循规则在使我们的生活变得有序的方面极为重要,但是令人颇感奇怪的是,这样的抽象规则与形成一种整体性秩序之间的关系却很少有人予以关注和研究。当然,我们大家都知道:第一,为了使我们前后相继的行动获得某种连贯性,我们事实上已然习得了根据规则行事的能力;第二,我们在我们的生活中之所以采纳一般性规则,不仅是因为这能够使我们省去这样一种麻烦,即在某些问题每次发生的时候都对它们进行思考,而且也主要是因为唯有通过这种方式,我们才能够形成某种类似于一种理性整体的秩序。囿于篇幅,我无法在这里对人们在所有分立的决策中所遵循的抽象规则与那种由此形成的抽象的整体性模式之间的关系做更为系统的讨论。但是,我还是必须对这个方面所存在的一个极为重要的问题做一番简要的讨论。如果我们想按照这种方式实现一种整体性的社会秩序,那么我们就必须在所有的情势中(而不只是在没有理由不这样做的情形中)都遵循一般性规则。这可能意味着,我们必须刻意地对某种有关特定后果——亦即在某种给定的情形中遵循规则有可能产生的那种特定结果——的知识不予考虑。在这里,我想指出这样一个观点,要想真正洞见到遵循规则行事的重要性,人们就必须更为严格地——与建构论唯理主义者所认为的那种程度相比较——遵循规则,因为我们知道,建构论唯理主义者也接受抽象规则,但他们充其量只是把抽象规则视作是人们在充分评价所有特定情势的时候对一种决策的替代之物。此外,他们还认为,不论何时只要人们有放弃这些抽象规则的特殊理由,那么他们放弃这些规则的做法就是一种可欲之举。

为了使人们不致对我的观点产生误解,我应当在这里再简要地说明一点,即当我说严格遵循规则的时候,我当然不是意指那些孤立的单一规则,而始终是指整个规则系统——在这个系统中，一项规则往往会对我们不得不从另一项规则中获得的结果做出修正。更为准确地说，我应当把这个系统称之为一个由那些有着不同重要性的规则构成的等级结构。但是，我却无法在这里对这个重要问题做更详尽的讨论，上文的扼要解释也只是为了使人们不致对我的观点产生这样一种误解，即任何一项孤立的规则一般来讲都足以解决我们的问题。

六

一如前述，抽象规则对于协调人们在那些不可预见的新情势中所采取的持续性行动来说乃是不可或缺的，然而需要指出的是，抽象规则在下述情形中就更是不可或缺的了：协调众多不同的个人在那些只是部分上为每个个人所知道而且也只有在发生的时候才能为他们所知道的具体情势中所采取的行动。这不仅导使我达致了我在自己的学术发展过程中进行所有思考的出发点，也许还解释了为什么我——尽管我一度只是一个极为纯粹且所涉范围狭窄的经济学理论家——从专门经济学的研究转入了对所有那些常常被视为哲学的问题进行探究的原因。回顾这些变化，这似乎始于我将近30年前所发表的那篇题为《经济学与知识》(Economics and Knowledge)的论文[4]。在那篇论文中，我考察了在我看来是纯粹经济学理论所涉及的一些核心问题。我在那篇论文中得出了这样一个主要的结论，即经济学理论的任务乃在于解释一种整体性的经济活动秩序是如何实现的，而在这个秩序中，人们运用了并非集中在任何一个心智之中而只是作为无数不同的个人的分立知识而存在的大量知识。但是需要指出的是，从这一认识到获致下述恰当的洞见还有很远的路要走，而这个洞见就是个人在其行动中遵循的抽象规则与作为个人应对具体而特定的情势（亦即在那些抽象规则加施于他的限度内他对所遇到的具体而特定的情势所做的应对）的结果而形成的那种抽象的整体性秩序之间存在着一种关系。当时，正是通过对“法律下的自由”（freedom under the law）这个古老概念（亦即传统自由主义的基本观念）* 以及由这个概念所引发的那些法律哲学问题的重新探究，我才就自生自发秩序（the spontaneous order）的性质获致了一幅我现在认为还算比较清

* 哈耶克所谓的 freedom under the law，我在本论文集中都译成了“法律下的自由”。然而，我此前在翻译哈耶克 1960 年发表的《自由秩序原理》一书时却译成“法治下的自由”，我当时在译注中专门指出：“哈耶克所谓的 freedom under the law，本书译文译作‘法治下的自由’，其原因在于哈耶克在这里使用 the law，实际上意指‘法治之法’（law under the rule of law），或‘真正的法’（true law），甚或‘一般且抽象的规则’（general and abstract rules），所以哈耶克有时亦直接称这种自由为 freedom under the rule of law。此外，依照哈耶克社会政治理论的内在理路，freedom under the law 译作‘法治下的自由’亦更符合他的自由观。这是因为在哈耶克看来，并不是任何法律都能保障自由，唯有法治之法才能保障和增进自由，这也是他为什么称他的自由观为‘法治下的自由观’的原因之所在。关于法律与法治之法的不同以及与此相关的问题，请详读哈耶克在本书第二部分所做的讨论。”而我之所以在译文上做出如此改动，其原因主要有二：第一，哈耶克在 1960 年以后对法律问题做了专门研究，最核心的论点便是对“法律”（“内部规则”或“正当行为规则”）与“立法”（“外部规则”或“命令”）进行了界分，正如他所明确指出的，“由正当行为规则构成的法律具有一个极为独特的品格，它不仅使它被称之为‘内部规则’一事极为可欲，而且还使下述问题变得特别重要，即把它与其他被称之为法律的命令加以明确的区分，所以在发展这类法律时，人们能够明确地认识到它所特有的属性”（《法律、立法与自由》第二卷“社会正义的幻象”，第 53 页）；第二，哈耶克在 1960 年以后对“法治”的研究也出现了新的转换，至少经历了从《自由秩序原理》一书中所确立的形式原则和“法典法”法治观向此后所谓的形式与实质相结合的一般性原则和“普通法”法治观的转化过程，为此英国当代自由主义哲学家 J. Gray 称哈耶克的法治观为“普通法法治国”（a common-law Rechtsstaat）理论（请参见 John Gray, *Hayek on Liberty*, Oxford, 1984, p. 69）。正是基于上述情势，我认为把哈耶克于 1960 年以后文本中出现的“freedom under the law”直接译作“法律下的自由”更为妥切。——邓正来按

晰的图景——而众所周知，自由主义经济学家长期以来一直在讨论这个问题。

这被证明是一种按间接方式创造秩序的一般性方法，亦即在那些因其间的现象太复杂而根本就无法通过分别把其间的每个要素归入恰当位置的方式以创造出一种秩序的情形中，人们可以按照自生自发这种间接方式创造出一种秩序的一般性方法。这实是我们无力控制其特定表现形式的那类秩序，因为那些决定着这种秩序的规则只能够决定它的抽象特征，而其间的细节则必须取决于唯有个别成员才能知道的特定情势。因此，如果我们试图根据刻意的安排去改变这种秩序中的任何一个部分，那么我们根本就不可能使这种秩序得到改进，而只能扰乱这种秩序。我们能够据以有效改进这种秩序的唯一方式，便是修正或改进那些指导个人行动的抽象规则。然而需要指出的是，这肯定是一项缓慢渐进且异常棘手的工作，因为大多数支配着现行社会的规则并不是我们刻意创制的产物，因此我们也往往只能极为有限地知道那些以这些规则为依凭的事情。正如我在上文所指出的那样，大多数这样的规则都是一个缓慢进化过程的产物——在这个进化的过程中，这些规则渐渐积淀起了远远多于任何个人所能够完全知道的经验和知识。这意味着，在我们能够指望富有成效地改进这些规则之前，我们必须先学会更好地（与我们现在的理解水平相比较）理解人定规则（man-made rules）与自生自发的社会力量之间的互动方式。这就要求经济学、法学和社会哲学领域中的专家在他们之间展开比目前更为紧密的合作；因为我们知道，即使在进行了这么紧密的合作以后，我们所能够指望的也只是一种缓慢展开的逐渐改进的尝试性过程，而不能指望任何一步到位的变革。

一如我们所知，建构论唯理主义者极其憎恨这样一种要求，即人们必须服从他们并不充分理解其重要性的那些规则——那些规则还会产生一种我们无力预见其细节的秩序。当然,由于那些建构论唯理主义者对人之理性所具有的巨大力量甚感骄傲和得意,所以他们憎恨这种要求也许是可以理解的。众所周知,数代人当中总是有人会认为,只要充分使用人的理性,人就可以完全掌控自己的命运;然而,有关我们根本就无力按照我们的愿望充分地主宰自己的活动这项洞见,却是与上述那些人的观点格格不入的。需要指出的是,这种力图使所有的事情都受理性控制的诉求,根本就无法使理性得到最大程度的运用,而毋宁是在误解理性力量的情况下对理性的一种滥用,并且最终会摧毁众多心智的自由互动——而理性的发展正是从这种自由互动中不断获取养分的。实际上,对于有意识理性之作用的真正符合理性的洞见,就在于明确地指出,理性所具有的最为重要的作用之一便是承认理性控制有着自身固有的限度。正如伟大的孟德斯鸠在"理性时代"(age of reason)的巅峰时期所明确指出的那样,**理性本身是需要加以限制的**。

七

在本文结束的时候,我还想扼要地解释一下我为什么为我的这次演讲(我将它视之为我在日本最为重要的一次公开演讲,亦即向一所极其热情地把我接受为其成员的大学所发表的演讲)选择这样一个特定的论题。我认为,对明确使用理性的崇拜,乃是欧洲文明过去近三百年发展过程当中的一个极为重要的因素,但是在日本本土的进化过程中却不曾起到过如此重要的作用;对于这一点,我想我没有错。此外,我们也很可能无从否认这样一个事实,即在17,18,19世纪,刻意地把理性当作一种批判工具加以使用,也许是欧洲文明取得比其他文明更为迅速的发展的主要原因。因此,相当自然而然的是，当日本思想家开始研究欧洲思想发展过程中不同思潮的时候，他们特别容易为那些似乎代表了这种最极端且最明确的唯理主义传统的学派所吸引。对于探寻西方理性主义之奥秘的人士来说，研究那种最极端的理性主义——亦就是我称之为的建构论唯理主义和我视之为对欧洲理性主义传统中一个特别组成部分所做的错误且毫无道理的夸张——在当时肯定会被认为是发现这一奥秘的最有希望的捷径。

因此，在各种各样的欧洲哲学传统中，得到日本思想家最广泛研究的乃是这样一种传统：它始于古希腊的柏拉图并在17世纪为笛卡尔和霍布斯所复兴，此后又经由卢梭、黑格尔、马克思以及其后的哲学实证主义者和法律实证主义者的努力而把这种对理性的崇拜推到了极限。以上所述的主要目的就是要告诫你们，那些把欧洲传统中看似最具特色的某种东西推至极限的学派，实际上与那些未能充分认识到有意识理性之价值的人一样，都是极其错误的，只是这二者的错误方向不同而已：前者完全无视理性的限度，而后者则完全无视理性的作用。理性就像一种危险的炸药一般，操作谨慎，就会产生巨大的有益作用，若是操作不慎，它也可能把一个文明彻底毁掉。

颇为幸运的是，这种建构论唯理主义并不是欧洲传统可以贡献给人们的唯一的哲学——即使人们不得不承认这种哲学也影响到了欧洲传统中某些最伟大的哲学家（甚至包括伊曼纽尔·康德）的观点。但是需要指出的是，至少在全权主义世界（在那些国家，建构论唯理主义确实毁掉了一种文明）以外，你们还可以发现另外一种较为低调且比较平实的传统，尽管它在建构宏大的哲学体系方面着力不多，但是它却很可能在创建现代欧洲文明的基础，尤其是在创建自由主义的政治秩序方面做出了更大的贡献（而建构论唯理主义则始终是反对自由主义的）。这个传统也源自于古典古代，亦即亚里士多德和西赛罗(Cicero);当然,这个传统在很大程度上是通过圣·托马斯·阿奎纳(St. Thomas Aquinas)的论著而传播至现代社会的,而在过去数个世纪中,它在很大程度上是经由政治哲学家的努力而得到发展的。在18世纪的岁月中,从很大程度上讲,正是那些反对笛卡尔唯理主义的学者(比如说,孟德斯鸠、大卫·休谟以及信奉其理论的苏格兰哲学家,尤其是亚当·斯密)建立起了一种真正研究社会的理论和一种真正研究理性在文明发展过程中所具有的作用的理论。当然,我们在很大程度上也要感谢那些伟大的德国古典自由主义者[比如说,康德和洪堡(Humboldt)]所做出的贡献,尽管他们——恰如边沁和英国的功利主义者那般——并没有完全摆脱卢梭和法国唯理主义的致命诱惑。此后,托克维尔和阿克顿勋爵又发展出了此一学派当中较为纯粹的政治哲学。再者,自休谟以降,自由主义社会理论的基础又得到了论者们的明确重述,而第一个重述者就是奥地利经济学派创始人卡尔·门格尔(Carl Menger)。在当代哲学家当中,卡尔·波普尔(Karl R. Popper)教授特别重要,因为他为这一思想脉络提供了极其重要的新的哲学基础。波普尔还为它创造了一个新的名称即"批判理性主义"(critical rationalism)。我认为,这个名称极为恰当地使它与那种幼稚的唯理主义或建构主义明确地区分开来。在我看来,这个术语最为妥切地描述了我认为最合理的那种一般性立场。

我今天演讲的主要目的之一就是要使你们关注这种传统。我相信,如果你们对这种传统进行考察,那么你们就会发现,与此前数代日本人在极端的笛卡尔—黑格尔—马克思学派的唯理主义那里所发现的东西相比较,这种传统中没有多少新奇并且能够令你们感到惊喜的东西。开始的时候,你们确实会发现这种传统只有较少吸引人和令人感到激动的东西——因为它没有崇拜纯粹理性所会产生的那种特有的吸引力甚或令人陶醉的感觉。但是,我希望你们会发现这种传统是与你们的志趣更为相合的。在我看来,由于这种传统并不是一种植根于欧洲思想发展某个特定阶段的片面的夸张之物,而是提出了一种真正研究人性的理论,所以它应当可以为你们的研究提供一个基础,而你们自身拥有的经验又能够使你们在发展和推进这种基础的方面做出重要的贡献。这种有关心智和社会的观点明确认为,传统和习惯在心智和社会的发展过程中起着相当重要的作用。这种观点可以使我们认识到那些在极端唯理主义的影响下成长起来的人往往认识不到的许多东西。此外,它还可以使我们认识到这样一个事实,即与那些较为精致繁复的设计相比较,一些并非经由任何人的发明而自我发展起来的制度,有时候可以为文化的发展提供一个更好的框架。

Matsushita 校长[5]在另一个场合曾向我提出了一个切中要害但却是我在当时无力即刻做出回答的问题。如果我没理解错的话,他当时问我,一个在制度方面依赖惯例习俗而不是依赖发明的民族,与那些试图按照刻意的方式建构所有的制度或者力图根据理性原则重新制定所有制度的民族相比较,是否有时候就无法为个人提供更多的自由,因而也会无法为进化提供更大的范围呢?我认为,答案是肯定的。但是值得我们注意的是,在我们学会认识理性在安排社会事务方面所具有的恰当限度之前,始终会存在这样一个大危险,即在我们力图把我们所认为的某种合理模式强加给社会的时候,我们会把那种作为逐步改进之主要条件的自由给扼杀掉。

【注释】

[1]参见 John Locke, *Essays on the Laws of Nature* (1676), ed. W. von Leyden, Oxford

(Clarendon Press),1954,p. Ⅲ:"然而,所谓理性,我并不认为它在此处的含义是指那种构成了思想之链以及推论证据的领悟能力,而是指一些明确的行动原则,正是在这些原则的基础上,产生了所有的德性以及对于确立养育道德所必需的一切东西。"

[2]参见拙著:*The Counter-Revolution of Studies*,Glencoe,Ⅲ.,1952。

[3]J. M. Keynes,*Two Memoirs*:*Dr. Melchior*;*A Defeated Enemy and My Early Beliefs*,Intro. by D. Garnett,London:Rupert Hart-Davis,1949,pp. 97 ~ 8.

[4]*Economica*,N. S. ,Ⅳ,1937,重印于:*Individualism and Economic Order*,London and Chicago,1949.

[5]Dr. Masatoshi Matsushita,Rikkyo 大学的校长,他是这次演讲会的主席。

建构主义的谬误[*][**]

一

在我看来,用"建构主义"(constructivism)这个术语[1]来专门指称这样一种思维方式似乎是十分必要的,因为在过去,这种思维方式常常被人们用一种极具误导的方式称之为"理性主义"(rationalism)[2]。我们也许可以采用一种最为简便的方式把建构主义这个基本观念表达成这样一个幼稚且有些夸张的论式:既然人类凭靠自己的力量创造了社会制度和文明制度,那么人类也就必定有能力根据自己的意志改变这些社会制度和文明制度以满足自己的欲求或愿望。我最初听到这个说法,距今已近50年了,当时,这个论式可以说给我留下了极为深刻的印象[3]。

初看上去,所谓人类"创造了"自己的文明及其制度这种流行的说法,也

---

* 本文译自哈耶克著:*Studies in Philosophy, Politics and Economics*, The University of Chicago Press, 1967, pp. 82 ~ 95。

** 本文是我(哈耶克)于1964年4月27日在日本东京的Rikkyo大学所做演讲的文稿,此后发表在:*The Economic Studies Quarterly*, Tokyo, Vol. XV, 3, 1965。

许是相当无害且平常的。但是值得我们注意的是，一如人们惯常所采取的做法那样，一旦这个说法被夸大成这样一种意思，即人类之所以能够创造出自己的文明及其制度，实是因为人类拥有理性，那么这种说法的含义也就变得颇有疑问了。实际上，在文明以前，人类并不拥有理性。文明与理性这两种现象实是交织在一起进化的。为了理解理性与文明是在不断互动的过程中一起发展起来的，我们只需要想一想语言这个事例就足以了，因为在今天，已经没有人再相信语言在过去是由拥有理性的人“发明”出来的。需要指出的是，尽管我们现在已经不会在这个方面再去质疑语言了（当然，我们以这样的方式认识语言也是相对晚近的事情），但是这绝不意味着人们在对待道德、法律、技艺或社会制度的时候也会普遍持有同样的态度。直至今天，我们依然太容易在其他因素的影响下做出这样的论断，即这些显然属于人之行动的结果的现象必定是人之心智在为了实现这些手段所服务的目的而创建的各种情势中刻意设计出来的——这就是马克斯·韦伯所谓的“价值理性”（wert-rationale）的产物[4]。简而言之，我们因受到误导而认为，道德、法律、技艺和社会制度只有在与某种先行确定的设计相符合的时候才能被证明是正当的。

极为重要的是，这是一种我们只在对待我们自己的文明现象的时候通常会犯的错误。如果文化人类学家或社会人类学家所试图理解的是其他的文化，那么他们根本就不会去质疑这样一个事实，即这些其他文化的成员对于他们遵循特定规则的原因或何者依凭于这种原因的问题往往是毫无概念可言的。然而，大多数现代的社会理论家却不愿意承认这种情况也可以适用于我们自己的文明。在绝大多数情况下，我们并不知道我们究竟从我们社会的习俗和惯例中获得了什么样的益处。然而，现代的社会理论家却把这种现象仅仅视作是一种令人遗憾的并且应当尽快加以克服的缺陷而已。

二

近些年来，我对上述问题予以了某种程度的关注，但是在这样一个时间有限的讲座中，我显然无法追溯前人就这些问题所做的讨论的历史沿革[5]。在这里，我只能指出，古希腊人早就熟知这些问题了。两千年来，古希腊人提出的“自然”（natural）形成物与“人为”（artificial）形成物的二分观，一直支配着这项讨论。颇为遗憾的是，古希腊人在自然之物与人为之物之间所做的那种界分已经变成了人们在推进这项讨论方面的最大障碍，因为我们知道，当这种界分被解释成一种唯一的非此即彼的选择的时候，这种界分不仅是含混不清的而且也肯定是错误的。正如18世纪的苏格兰社会哲学家最终明确认识到的那样（需要指出的是，晚期的经院论者在此之前就已经在某种程度上认识到了这个问题），绝大多数社会形成物，虽说是人之行动的结果，但却不是人之设计的产物。这种认识导致了这样一个结果，即根据传统术语的解释，这些社会形成物既可以被描述成“自然的”，也可以被称之为“人为的”*。

---

* 关于哈耶克对“人为的”与“自然的”二分观的批判，请参见本丛书第二辑所收入的哈耶克于1967年发表的《自生自发秩序与第三范畴：人之行动而非人之设计的结果》一文；更为详尽的讨论，则请参见哈耶克在《法律、立法与自由》第一卷“规则与秩序”中对这个问题的文字：“对我们所关注的上述问题的讨论，长期以来一直因人们普遍接受古希腊人所提出的一种极具误导性的二分观而受到了阻碍，而且我们至今都还未能从这种二分观所导致的混乱结果中摆脱出来。这就是对人们用现代术语所表达的‘自然的’（natural）与‘人为的’（artificial）现象所做的界分。最早用以描述这些现象的希腊术语——似乎是由公元前5世纪的智者们首先提出的——乃是physei，意指‘依本性’或‘发乎自然’（by nature）；而与之相（接下页注）

一如上文所述，在16世纪的时候，人们已经开始试图对这些情势做真正的认识；然而，这一趋势的开端却在17世纪因一种强有力的新哲学［亦即笛卡尔（Rene Descartes）及其追随者所阐发的那种唯理主义］的兴起而被扼杀了。实际上，他们所阐发的唯理主义哲学还构成了各种现代建构主义的渊源。自笛卡尔以降，人们便步入了那个不可理喻的“理性时代”（Age of Reason），亦即由笛卡尔式的精神完全支配的那个时代。那个所谓的“理性时代”的最伟大的代表人物伏尔泰（Voltaire），就曾经在他所撰写的一段著名的文字中描述过这种笛卡尔式的精神，“如果你想要好的法律，那么就烧

（接上页注）对的则是下述两个术语：一个是 nomó，最好译为‘据约定’（by convention），另一个乃是 thesei，其大意是指‘据审慎刻意的决定’（by deliberate decision）。用两个含义不尽相同的术语来表示此一二分观中的‘人为的’部分，实际上埋下了自那时以来就一直困扰着这一讨论的混乱之根。希腊智者所意指的这种界分，既可以指独立存在之物与人之**行动**之结果的东西之间的界分，同时亦可以指独立于人之**设计**的东西与人之设计之结果的东西之间的界分。未能对这两种含义做出明确界分，导致了这样一种状况，其间某一论者可以因某一种**特定**现象是人之行动的结果而把它视作是人为的现象，而另一论者则也可以因这个同样的现象显然不是人之设计的结果而把它描述成是自然的现象。直到18世纪，诸如伯纳德·孟德维尔和大卫·休谟这样的思想家才明确指出，这里还存在着另一个范畴的现象，然而这种现象在前述的二分观中不是被划入‘自然的’范畴就是被归为‘人为的’范畴——这取决于论者在上述两种定义中所遵循的是哪一个定义。因此，这种现象应当被归属于一种独特的第三类现象，亦即后来被亚当·弗格森所称之为‘人之行动而非人之设计的结果’的那种现象。它们是那种需要提出一种独特的理论体系加以解释的现象；后来，这些现象真的成了理论社会科学的研究对象。但是，在两千多年的岁月中，由古希腊人所提出的这种二分观在几乎未受到质疑的情况下一直支配着人们的思想，且深深地植根于人们所使用的概念和语言之中。在公元2世纪，拉丁语语法学家 Aulus Gellius 曾用 naturalis 和 positivus 这两个术语来翻译 physei 和 thesei 这两个希腊术语，而正是在此翻译的基础上，大多数欧洲语言也都演化出了用以描述两种法律的类似词汇。”（上引书，邓正来等译，中国大百科全书出版社1999年版，第19～20页）——邓正来按

掉你现有的法律,并亲手去制定新的法律”[6]。为了反对这种笛卡尔式的精神,批判唯理主义的伟大学者大卫·休谟(David Hame)也只得慢慢地去营建一种有关社会形成物之逐渐发展的真实理论的基础。正是在这个理论的基础上,休谟的苏格兰同胞亚当·斯密(Adam Smith)和亚当·福格森(Adam Ferguson)进一步发展出了一种研究“人之行动而非人之设计的结果”这种现象的理论。

笛卡尔指出,我们只应当相信那种我们能够证明的东西。当笛卡尔的理论被普遍适用于道德和价值领域的时候,它意味着我们只应当把这样的道德和价值(亦即那种可以被我们认做是一种旨在实现某个确定的目的的理性设计)视作是有约束力的。至于笛卡尔本人究竟在多大程度上通过把神秘莫测的上帝意志描述成所有显示目的的现象的创造者这种方式规避了其间所隐含的棘手问题,我不想在这里进行讨论*[7]。但是对于笛卡尔的追

---

* 关于这个问题,哈耶克在《法律、立法与自由》第一卷“规则与秩序”中做了比较仔细的讨论。这里值得注意的是哈耶克对笛卡尔本人的观点与他的观点所造成的影响所做的区分:“我们所称之为建构论唯理主义的基本理念,在伟大的思想家笛卡尔那里得到了最为全面的表述。需要指出的是,尽管笛卡尔本人并没有从这些基本理念中推论出社会论辩和伦理论辩方面的结论,但是比他略为年长(然而比他寿长)的同时代人托马斯·霍布斯却在这些方面做出了相当详尽的阐释。虽然笛卡尔所直接关注的乃是为判断命题的真假确立标准,然而不可避免的是,这些标准仍被他的追随者用去判断行动的适当性和正当性。‘怀疑一切’(radical doubt)的态度使笛卡尔拒绝把任何不能以逻辑的方式从‘清晰且独特的’明确前提中推导出来的从而也不可能加以怀疑的东西视作为真实的东西。然而,也正是这种‘怀疑一切’的立场,剥夺了所有不能以这种方式得到证明的行为规则的有效性。尽管笛卡尔本人可以经由把这样的行为规则归因于一个全知全能的神的设计而避免剥夺这些行为规则的有效性,但是,在他的追随者当中,却有一些人不再把这种诉诸神之设计的规避方式视作为一种充分的解释,因此对于这些人来说,接受任何一种仅仅立基于传统而且无法依凭理性根据给出充分证明的东西,都只是一种(接下页注)

随者来说,这个创造者肯定变成了一种人的意志,也就是他们所认为的所有社会形成物的渊源——它的意图肯定可以为它们提供正当性的证明。在他们看来,社会乃是人类为了实现某个先行确定的目的而刻意建构的东西——这一点可以最为明确地见之于笛卡尔的忠实学生让·雅克·卢梭(J-J. Rousseau)的论著[8]。那种相信一个至高无上的权力机构(对于一个代议机构来说尤其如此)拥有无限权力乃是十分必要的观点,以及那种进而相信民主必定意味着多数拥有无限权力的观点,都是这种建构主义所酿成的不祥后果。

三

如果我在这里对我最近在一本畅销的德国科学杂志上读到的一位著名的瑞典社会学家所提出的极为典型的观点做出征引,那么读者也许就可以最为清楚地理解我所说的"建构主义"的意思了。这位瑞典社会学家指出:

(接上页注)非理性的迷信。把所有那些不能按照他的标准证明为真的东西都一概称之为'纯粹的意见'(mere opinion)而加以拒绝,成了他所发起的运动的支配性特征。由于理性在笛卡尔那里被界定为根据明确的前提所做的逻辑演绎,所以理性的行动也就仅仅意指那些完全由已知且可证明为真的东西所决定的行动。从这一点出发,人们几乎不可避免地会达致这样一种结论,即只有在这一意义上为真的东西才能导致成功的行动,进而使行动者取得成就的一切东西也就是他所进行的笛卡尔意义上的推理过程的产物。那些并不是以这种方式设计出来的制度和惯例,只是在偶然的情况下才可能是有助益的。上述观点与建构主义对传统、习俗和历史的普遍蔑视一起,构成了笛卡尔式建构主义的典型立场。根据这种立场,人仅凭理性,就能够重构社会。……首先阐发这种观念的是霍布斯,尔后就是卢梭——从许多方面来看,卢梭都是笛卡尔的一个紧密追随者。尽管他们的理论并不总是要对实际发生的事情给出一种历史解释,但是这种理论的一个一以贯之的目的却是要为确定现行的制度是否可以被证明为理性的制度提供一种指南。"(上引书,邓正来等译,中国大百科全书出版社 1999 年版,第 4 ~6 页)——邓正来按

"社会学为自己所确定的最为重要的目标就是预测未来的发展并且去型构(gestalten)未来,或者,如果有人愿意按照这种方式来表达的话,便是创造人类的未来。"[9]如果一门学问做出这样的主张,那么这显然意味着,整个人类文明以及我们迄今为止达致的所有成就,都只可能是作为一种有目的的理性建构之物创建出来的。

我们必须即刻指出,对社会形成物所做的这种建构论解释,绝不只是一种无害的哲学推测,而是一种事实性的论断:从这种论断中,人们可以推断出有关社会过程的解释和有关政治行动之机会的结论。一如我们所知,建构论者恰恰是从这种事实上错误的论断中推论出了前述影响深远的要求,而且还导致了种种具有恶劣影响的后果。这种事实上错误的论断,在我看来,就是那种声称我们现代社会的复杂秩序完全是以下述两种情势为基础的论点:第一,人们在行动的过程中乃是受预见(亦即一种对因果关系的洞见)指导的;或者第二,这种秩序至少是可以通过设计而形成的。在这里,我想指出的是,人们在行动的过程中**从来就不是只受**他们对特定的已知手段与特定的欲求目的之间的因果关系的认识指导的,因为他们还一直受着他们甚少意识到的行为规则的指导——这些行为规则当然不是他们刻意发明出来的。此外,即便要辨识这些行为规则的作用和重要性也是一项极为困难的工作,而且科学努力在这个方面也只是取得了部分成就。换言之,它意味着理性努力(亦即马克斯·韦伯所谓的 Zweckrationales Handeln)的成功在很大程度上要归因于对价值的奉行,因此我们应当对这些价值在我们社会中的作用与那些刻意追求的目标在我们社会中所具有的作用做出仔细的界分。

在这里,我只能简要地论及这样一个较为深层的事实,即个人是否能够成功地实现他的短期目标,不仅要取决于他对因果关系所做的刻意洞察,而且还要在很大的程度上取决于他根据规则行事的能力——他也许无力用文字来表达这种能力,而我们也只能经由对规则的阐释来描述这种能力。我们所有的技艺,从驾驭语言的技艺到掌握手工艺或竞赛的技艺——亦即我们在无力陈述我们如何行事的情况下却"知道如何"* 从事的那些行动——都是上文所述的事例[10]。我之所以在这里论及这些事例,仅仅是因为根据规则的行动——亦即我们并不明确知道而且也不是经由理性设计出来的那些规则(当然,那些规则之所以得以盛行,实是因为那些成功人士的行事方式得到了其他人的模仿)——在这些事例中也许要比在那种与本文所关注的问题直接相关的领域里更容易得到人们的理解。

---

* 哈耶克有关"知道如何"(knowing how)的洞见,在我看来极为重要,因为它构成了哈耶克自由主义理论从"知"到"无知"知识观的转换过程中的一个至关重要的阶段,亦即构成哈耶克社会理论建构过程的承前启后的阶段,而最能够表现这个阶段特征的,便是哈耶克在受到吉尔伯特·赖尔的影响下初步提出的这个"知道如何"的观点,或迈克·博兰尼意义上的"默会知识"(tacit knowledge)的观点(请参见 M. Polanyi, *Personal Knowledge*, London: Routledge & Kegan Paul, 1958, 以及 *The Tacit Dimension*, London: Routledge & Kegan Paul, 1966)。根据我个人的研读,哈耶克乃是在 1952 年发表《感觉秩序》一书时第一次通过明确征引赖尔"知道如何"与"知道那个"(knowing that)的知识二分法(即他在 1945 年"亚里士多德哲学学会"所发表的《知道如何与知道那个》的主席演讲,请参见 Gilbert Ryle, "Knowing How and Knowing That", *Proceedings of the Aristotelian Society*, 46, 1945 ~ 1946, pp. 1 ~ 16)而论及"默会知识"的,并且由此提出了他的社会理论中一个相当重要的命题,亦即默会知识相对于其他知识的首位性命题。这个命题的提出,使哈耶克达致了这样两个论断:一是"明确"或"有意识"的知识(即"知道那个"的知识)乃植根于最初由文化传统形成的"知道如何"的默会知识之中;二是知识在本质上是实践性的知识,进而我们知道的要比我们能够用语言表达的多。有关这方面的详尽讨论,请参见拙文《知与无知的知识观:哈耶克社会理论的再研究》,载《邓正来自选集》,邓正来著,广西师范大学出版社 2000 年版,第 237 ~296 页。——邓正来按

我们在这里讨论的规则，与其说是那些对遵守它们的个人有助益的规则，不如说是那些（以它们得到人们的普遍遵循为条件）可以使某个群体中的所有成员的生活都变得更为繁荣和强盛的规则，因为我们知道，那些规则为该群体中的所有成员都提供了在一种社会**秩序**中行事的机会。此外，这些规则在很大程度上讲也不是人们为了达到具体目的而刻意选择手段的结果，而是一种选择过程的结果。在这个选择过程中，那些达致了一种较为有效秩序的群体取代了其他的群体（或者被其他的群体所模仿）——当然，那些群体往往是在不知道其优势之原因的情况下取代其他群体的。这类社会规定的体系包括了法律规则、道德规则、风俗习惯等——事实上，它包括了支配某个社会的所有价值。“价值”（value）这个术语*（由于没有更为妥当的术语，所以我在本文中将不得不继续使用这个术语），事实上有些误导，因为我们往往倾向于把“价值”这个术语解释成对个人行动之特定目标的指涉，然而在我所关注的那些领域中，它们在很大程度上却是由那些并不是以

---

* 需要指出的是，哈耶克在讨论“价值”的时候，一直将它与“目的”相区分。哈耶克曾经在本丛书第一辑所收入的他于1968年发表的《政治思想中的语言混淆》一文中对这个问题做过讨论，但是我个人认为，哈耶克在1976年出版的《法律、立法与自由》第二卷“社会正义的幻象”中所做的讨论更为明确。他指出，“我们还将以同样的方式对特定的‘目的’（ends）与‘价值’（values）做出界分。所谓特定的目的，乃是意指那种驱使人们采取特定行动的特定的预期结果；而所谓价值，依据我们的理解，则意指那些根据某些属性而得到界定并被普遍认为是可欲的事件的一般性类型。因此，所谓‘可欲的’这个术语，在这里所意指的含义并不限于某个人在一定场合事实上所欲求采取的一项特定行动，而是指一个人或多个人对于某一类事件的持续态度。立基于上述界定，我们将在讨论中采用相应的说法，比如，法律或正当行为规定并不服务于（具体的或特定的）目的，而服务于（抽象的和一般的）价值，亦即对某种类型的秩序加以维护”。（上引书，邓正来等译，中国大百科全书出版社2000年版，第19页）——邓正来注

肯定的方式告知我们做什么事情而是在绝大多数情形中只告知我们不应当做什么事情的规则构成的。

值得我们注意的是，社会中所存在的那些并不是以任何理性论证为基础的否定性规则或戒律(taboos)，一直是建构论者最热衷于嘲笑的对象。此外，这些建构论者甚至还希望所有理性设计的社会秩序都能够禁止这些规则或戒律。这些建构论者可以说极为成功地摧毁了若干否定性规则或戒律，其间便包括尊重私有财产权和尊重践履私人契约这两项规则。结果，一些论者甚至担忧对私有财产权的尊重和对践履私人契约的尊重是否还有可能得到重建[11]。

然而，对于所有的生物体来说，若要避免危险，那么有关他们不得做什么事情的知识就往往要比有关他们为了实现特定目的必须做什么事情的知识更为重要。前一种知识，通常来讲，并不是一种有关那种被禁止的行为所会导致的后果的知识，而是一种有关在某些情形中某些类型的行为会受到制止的知识。此外，我们所拥有的有关因果关系的实证性知识(positive knowledge)也只会在我们对特定情势有着充分认识的领域内有助益于我们。与此同样重要的是，我们也只能在这种知识给予我们可靠指导的范围内有效行事。当然，这是通过那些普遍禁止某种特定类型的行动并且不考虑它们在特定情势中的后果的规则加以实现的[12]。

在这个意义上讲，人不仅是一种追求目的(purpose-seeking)的动物，而且还是一种遵循规则(rule-following)的动物。这一点已在晚近出版的一些论著中得到了论者们的反复强调[13]。为了理解这句话的意思，我们必须首先搞清楚“规则”这个词在这种情形中的含义。这一点之所以颇为必要，实是因为那些使社会秩序之型构成为可能的大体属于否定性的(或者禁令性的)行为规则的类型是不尽相同的。它们由三种类型构成:第一,它们只是在事实上得到人们遵循但却从未被人们用文字加以陈述的规则,当我们说"正义感"(the sense of justice)或"语感"(the feeling for language)的时候,我们所指的就是这种我们能够适用但却并不明确知道的规则;第二,在很大程度上讲,它们所表达的依旧只是那些在很久以前一直为人们在行动中所普遍遵循的准则,尽管它们现在已经形诸文字了;第三,那些经由刻意引入,因而必定是以语句形式而存在的规则。

建构论者倾向于否弃前述第一种和第二种类型的规则,而只认为上文所论及的第三种类型的规则是有效的规则。

四

这样,我们就需要考虑一个问题,即那些得到绝大多数人遵循但却几乎没有人(如果有人的话)能够用文字将其陈述出来的规则的起源是什么呢?早在查尔斯·达尔文(Charles Darwin)以前,一些研究社会的理论家,尤其是那些研究语言的理论家,已经对这个问题给出了答案:在文化传播的过程中——各种行为模式正是在其间得以代代相传的,同时发生了一种选择的过程。在这个选择的过程中,那些能够为整个群体确立起一种较为有效的秩序的行为模式会处于优势地位,因为这样的群体会比其他的群体更强盛,也更具有优势[14]。

需要特别强调指出的是,并不是个人间的每一种行为常规性都能够为整个社会提供一种秩序。当然,我们之所以要强调这个问题,实是因为它常常为人们所误解。据此我们可以说,常规性的个人行为未必意味着秩序,而唯有某些特定的个人行为模式才会为整个社会提供一种秩序。因此,社会秩序乃是一种必须与个人行为常规性相区别的事实性事态。它必须被界定为这样一种境况,其间,个人能够在他们各自所拥有的独特知识的基础上形成有关其他个人行为的预期,而这些预期则可以通过使这些个人的行动成功地达致彼此调适这种方式来证明自己的正确性。如果每个人对其他人的感觉不是想杀了他就是迅即逃跑,那么我们可以说,这也肯定构成了一种个人行为的常规性,但是这种个人行为的常规性却显然不是那种能够使一个有序群体得到型构的行为模式。比较清楚明确的是,这类个人行为规则的特定组合有可能形成一种较为优越的秩序,而这种秩序又能够使那些拥有这种秩序的群体在淘汰其他群体的情况下不断地扩展。

这种功效所预设的并不是这样一种情形,即这种群体的成员知道本群体的优越性应当归因于何种行为规则,而只是这样一种情形,即该群体只会把那些遵循它在传统上所承认的那些规则的个人接纳为它的成员。这些规则当中始终凝聚着大量的个人经验——尽管这些个人经验乃是当下的成员所不知道的,但是却能够帮助这些成员更为有效地追求他们的目的。

因此,这种世代相传的"有关世界的知识"(knowledge of the world),在很大程度上并不是由那种有关因果关系的知识构成的,而是由那种与环境相调适且发挥着环境信息之作用(尽管它们并没有明确指涉环境)的行为规则构成的。就像各种科学理论一样,这些行为规则也可以通过证明自己的功效而得以存续下来,但是它们又与各种科学理论有所不同,因为这些行为规则乃是通过一种人们无须知道的方式来证明自己的功效的——这种证明乃是在它使社会秩序迅速恢复且逐渐扩展成为可能的过程中凸显自身的。这便是那种认为在我们继受而来的各种制度中隐含着"我们祖先的智慧"的观念的真正要旨之所在,但是这种观念却受到了嘲笑和非难。换言之,这种观念在保守主义思想中起着极为重要的作用，但是对于建构论者来说，它却只是一个无所意指的空洞说法而已。

五

这类颇具意义的互动关系有许多，然而囿于时间问题，我只能从中选出一种关系在这里进行讨论。当然，我选择的这种互动关系同时还能够对一个经济学家之所以特别倾向于关注这些问题的原因给出解释。这种互动关系就是法律规则与自生自发形成的市场秩序之间的关系[15]。当然，这种自生自发的市场秩序并不是一种奇迹的结果，甚或也不是利益间某种自然和谐的结果。这种秩序之所以是自我形成的，实是因为在数千年的过程中，人们发展出了诸多有助于在分立且自发的个人活动当中形成这样一种秩序的行为规则。这里的关键要点在于：人们乃是在并不真正理解这些行为规则的功能的情况下发展出这些规则的。在一般意义上讲，法律哲学家甚至都不再追问"什么是法律的'目的'"（the purpose of law）这样的问题了；而他们之所以认为这是一个无法回答的问题，一是因为他们把"目的"解释成了特定的可预见的结果，二是因为他们认为规则的目的就在于实现这些特定且可预见的结果。事实上，法律的"目的"乃是要实现一种抽象的秩序——亦即一种由抽象关系构成的系统——而这种抽象秩序的具体表现则是由任何人都不可能在整体上完全知道的大量且各不相同的特定情势所决定的*。

---

* 这里显然涉及哈耶克关于法律目的的讨论。值得注意的是，哈耶克一方面强调法律服务于一个目的，而另一方面又强调说他所谓的法律目的不同于其他主张目的为法律核心特征之论者的观点，更不同于那些否定整个法律规则系统具有目的的论者的观点。哈耶克指出："关于法律的'目的'所存在的上述两种不同的观念，在法律哲学历史上可谓是极为凸显的。从伊曼纽尔·康德对正当（接下页注）

因此,那些正当行为规则有着一种并不是任何人先行赋予它们的“意义”或“功能”(meaning or function),而这也正是社会理论(social theory)必须努力去发现的东西。

经济学理论曾经取得过一项伟大的成就,即早在控制论提出200年以前,经济学理论已经认识到了这种自我调整系统的性质:在这种系统中,诸要素所呈现出来的某些行为常规性(也许把它理解成“约束性规则”更为妥当)致使整体秩序得以不断地与那些最初只是对彼此分立的要素产生影响的特定事实相调适。的确,这样一种秩序可以使大大多于任何人所拥有的信息得到运用,但是值得我们注意的是,这种秩序绝不是什么人“发明”出来的。情势之所以如此,实是因为这样一个事实所致,即有关结果在当时是无法预见的。在那个时候,我们的祖先根本就不可能知道对财产权和契约的保护会导致广泛的分工、专业化和市场的建立。当然,他们也根本不可能知道那些原本只适用于同一群体之成员的规则向其他群体成员的扩展最终会趋于形成一种世界经济。

当时,人们所能够做的就是通过修改某些继承下来的规则以减少这种

(接上页注)行为规则‘无目的’性的强调,到边沁和耶林(Ihering)等功利主义者视目的为法律核心特征的观点,目的这个概念所具有的含混性始终都是导致人们观点分歧和冲突的根源。如果‘目的’指的是特定行动所具有的具体且可预见的结果,那么边沁的特定论功利主义(the particularistic utilitarianism)就肯定错了。但是,如果我们把这样一种旨在纳入‘目的’的含义之中,即旨在实现一些有助益于形成那种无从预见其特定内容的抽象秩序的条件,那么康德对于法律目的的否定,只有就某项规则被适用于某个特定情势而论才是合理的,但是对于整个规则系统来说,康德对法律目的的否定则肯定是没有道理的。然而,休谟则强调指出,我们应当关注整个法律系统的功能,而无须考虑它们的具体结果;休谟的这个洞见当能够使此后的论者不再受困于这种混淆。”(参见哈耶克:《法律、立法与自由》第一卷“规则与秩序”,邓正来等译,中国大百科全书出版社1999年版,第177页)——邓正来注

方式的冲突，努力地对一种彼此调适个人活动的过程做出渐进且点滴的改进。就人们能够刻意设计的某些规则而言，他们在那个时候只能够而且也确实只是在一种并不是由他们发明出来的规则系统内部，并为了实现改进现行秩序之目的而创造出来的[16]。当时，人们之所以只是修正某些规则，实是因为他们想努力改进其群体所接受的所有其他规则的综合效果。因此，在人们努力改进现行秩序的过程中，他们绝不能肆意且专断地制定他们所欲求的任何新规则，而只能够去解决由现行秩序的不完善而引发的某个明确的问题——尽管这种秩序始终是不完善的，但是这种秩序却是他们无力从整体上加以重构的。人们所发现的只是业已为他们所接受的那些价值之间所存在的冲突。关于这些价值，我们需要指出的是：第一，人们只是在部分上理解这些价值的重要性，但是他们许多努力的结果却是以这些价值的特性为依凭的；第二，人们只能够经由不断的努力而使这些价值彼此调适，但是却无力创造出一整套全新的价值。

六

值得我们注意的是，新近发展趋势中出现了一个最令人感到惊讶的现象：尽管我们对这些情势的理解得到了毋庸置疑的深化和增长，但是这种认识反而引发了一系列新的错误。我们相信——而且我个人认为是正确的，我们一直在努力学习理解那些支配着诸如有机体秩序、人类社会秩序，甚或人之心智秩序这类复杂秩序之形成的一般性原则。我们在现代科学已然取得最大成功的那些领域中所获得的经验，致使我们产生了这样一种期望，即我们所获得的这些洞见也会迅速地使我们控制各种现象，而且还能够使我们以刻意的方式确定各种结果。但是需要指出的是，在生命、心智以及社会这些复杂现象的领域中,我们却遭遇到了一种新的棘手问题[17]。无论我们的理论和观察技术在多大程度上有助于我们解释我们所观察的那些事实,它们在下述两个方面仍对我们帮助甚微:一是探明并确定所有那些可以决定复杂模式的特定情势,二是探明并确定所有那些在我们为了达致完全解释或准确预测的时候必须知道的特定情势。

假如我们知道地球历史演化过程中所有起过支配作用的特定情势,那么我们就应当能够在现代遗传学的帮助下对不同种类的生物体为什么采取它们所拥有具体结构这样的问题做出解释。但是需要强调指出的是,有关我们能够探明并确定所有这些特定事实的假设,却是荒谬不经的。当然,甚至这样一种假设也是极为荒唐的,即如果某人在某一特定时刻能够知道所有由生活在那个时代的无数个人以分散方式知道的特定事实之总和,那么他就应当有能力实现一种比市场所能实现的更为有效的人类生产活动秩序。的确,科学可以帮助我们从理论上更好地理解各种互动关系,但是在探明并确定所有广为分散且变动迅速的特定时空之情势(它们决定着这个极为复杂的大社会秩序)的方面,科学却对我们帮助甚少。

所谓增进理论知识能够使我们越来越把各种复杂的互动关系转变成一系列可以探明并确定的特定事实这种幻想,常常会引发新的科学谬误。特别需要指出的是,这种幻想还引发了一系列我们现在就必须予以认真对待的科学谬误,因为这些科学谬误会把我们的社会秩序和我们的文明赖以为基础的那些不可替代的价值摧毁掉。这类谬误在很大程度上是因为人们冒称拥有虚假知识(pretended knowledge)所致,然而我们知道,事实上任何人都不拥有这种知识,即使是科学的进步也不可能为我们提供这种知识。

就我们的现代经济制度而言,对秩序据以自我形成的诸项原则的理解告知我们:第一,它乃是以任何人在整体上都绝不可能拥有的那种知识的运用(以及有助于获取相关信息的技艺的运用)为基础的;第二,它之所以得以实现,实是因为个人在其行动的过程中受着某些一般性规则的指导。毋庸置疑的是,我们绝不应当甘受这样一种错误信念或幻想的蒙骗,即我们能够用一种与之截然不同的秩序(亦即那种假定所有这类知识或信息都可以由某个中央领导或一群领导所集中掌控的秩序)去取代这种自生自发的社会秩序。

尽管我们的知识获得了增进,但是我们努力的结果依旧要取决于我们知之甚少或毫无所知的各种情势以及我们无力控制的那些秩序性力量。然而不容回避的是,这个事实却正是许多人认为无法忍受的东西。建构论者就认为,承认这种相互依存的关系,便是要求我们继续接受那些并没有得到理性证明或者没有给出作为证明的肯定性证据的价值的指导。他们甚至还宣称说,我们已经没有必要再把我们自己的命运交给一个我们在事先并不能确定其结果的制度了:尽管这种制度为个人的努力开放出了大量的新机会,但是与此同时,它在某些方面又像是一种凭靠运气的竞赛,因为任何个人都不对最终结果负责。一如我们所知,如果我们把人类拟化成一种追求刻意选择之目标的神的体现,那么这种做法就会引发这样一种要求,即所有并不明显有助于个人达致那些得到确认的目的的自我生成的价值(但是它们却是抽象秩序之型构的条件)都应当被否弃,进而为个人在实现他们各自所具有的不同且常常冲突的目的的方面提供一种更好的前景。实际上这类科学谬误所趋于贬损的那些价值,恰恰是我们文明的存续赖以为凭的基础;因为我们知道,我们的文明实是人们遵循那些价值的产物。

七

上文所述的科学谬误摧毁不可或缺之价值的过程,始于19世纪,并且在整个19世纪的岁月中都产生了重大的影响。这种情形与当时提出的各种哲学观点有着特别紧密的关系;当然,主张这些观点的论者都倾向于把这些观点称之为"实证主义的"观点(positivist views),因为他们希望把那种认识因果关系的洞见视作是唯一有用的知识。这个称谓——"实证的"意指"确定"(set down)的——表达了这样一种意思,即刻意创造的东西要优位于所有不是理性设计的东西。实证主义运动的创始人奥古斯特·孔德(Auguste Comte)就极为明确地表达了这个基本理念,因为他宣称说,得到证明的道德规范优位于神启的道德规范(revealed morals)这一点,实是不争的[18]。这个说法表明:第一,孔德所承认的唯一的选择乃是介于人之心智的刻意创造与超人智识之创造之间的选择;第二,他甚至都没有把道德规范起源于一种选择进化过程(a process of selective evolution)的可能性考虑在内。在此之后,这种"建构主义"在19世纪的最为重要的表现形式先是功利主义(utilitarianism)——在一般意义上讲,这种功利主义乃是从认识论的实证主义出发对待所有规范的,而在特殊意义上讲,它则是从法律实证主义出发对待所有规范的;后来,这种"建构主义"的最为重要的表现形式,在我看来,则是整个唯社会论(socialism)。

就功利主义而言,这一特征可以极为明确地见之于最初产生的那种特定论的功利主义形式,亦即当今被人们普遍认做是与"规则功利主义"(rule utilitarianism)相区别的那种"行为功利主义"(act utilitarianism)。当然,唯有这种"行为功利主义"是严格信奉这样一种原初理念的,即每一项决策都必须以它的特定影响所具有的可见的社会功利(social utility)为基础。然而,正如人们通常指出的那样,一种一般论的或规则的功利主义却无法在逻辑上自洽始终[19]。此外,除了上述旨在给出建构论解释的努力以外,我们还在哲学实证论当中发现了这样一种趋势,即把所有的价值都认做是与事实不涉的(因而是"形而上的")东西的那种趋势,或者把所有的价值都视作是纯粹的情感问题因而是无法用理性加以证明的或毫无意义的东西的那种趋势。这种趋势当中最为幼稚的观点很可能是在过去三十多年当中颇为流行的那种"情感论"(emotivism)。"情感论"的阐释者[20]相信,只要指出道德的或不道德的行动或正义的与不正义的行动会引发某些道德情感,那么他们就已然给出了某种解释——就好像这样一种疑问(即为什么某一类行动会引发一种情感而另一类行动则会引发另一种情感)并不会给社会生活有序性造成什么重要问题似的。

这种建构论的认识进路可以最为明显地见之于最初由托马斯·霍布斯(Thomas Hobbes)和约翰·奥斯汀(John Austin)提出的那种法律实证主义。对于霍布斯和奥斯汀来说,每一项法律规则都必须源出于一种有意识的立法行为。正如每一位法律史学家所知道的那样,这种观点在事实层面上讲乃是一种谬误。但是,即使从最为现代的法律实证主义观点来看(我将在下文中对这种观点做一番简要的讨论),这种错误的假设也只是通过把有意识的立法行为局限于赋予规则以有效性的方式而得以避免的,但是它却根本无力回答这些规则的内容的起源问题。由此可见,这种认识方式实际上是把整个法律实证主义理论变成了一种令人极为讨厌的说教,因为这种理论根本就没有告诉我们司法权力机构必须适用的那些规则是如何可能被发现的。

显而易见,唯社会论植根于建构主义思想的事实,并不只限于它的最初形式——一如我们所知,在最早提出的唯社会论当中,它就力图对生产、分配和交换的资料实施社会化措施以使计划经济成为可能,进而用一种受特定目的指导的组织去取代那种自生自发的市场秩序[21]。需要指出的是,尽管现代版的唯社会论试图利用市场来为所谓的"社会正义"(social justice)服务,但是为了实现这个目的,现代唯社会论却仍然想根据结果(亦即权力机构的决策所达致的那些结果)所具有的公认的重要性而不是根据正当的个人行为规则来指导人们的行动。因此,这种现代版的唯社会论也同样是以那种受特定目的指导的组织为基础的。

八

在20世纪,建构主义通过对精神病学和心理学的影响而对伦理观点产生了特别大的冲击。这方面的事例汗牛充栋,不过在这里,我只能征引其中的两个事例,亦即在精神病学和心理学领域中依旧发挥作用的那些科学谬误摧毁价值的两个事例*。第一个事例是我从一个精神病学家那里得到的。

* 需要强调指出的是,在对那种用科学的谬误来不断地摧毁那些不可替代的价值的现象展开讨论的过程中,哈耶克不仅讨论了精神病学家布罗克·齐泽姆和法学家凯尔森的观点,更是在晚年讨论了著名心理学家西格蒙德·弗洛伊德(Sigmund Freud)的观点在这方面的恶劣影响。哈耶克认为,精神病学者和心理学家试图通过释放病人之先天本能的方式去医治病人而做的种种努力,可以说是对文化产生了最大的破坏力。在他看来,卡尔内普的逻辑实证主义和凯尔森的法律实证主义还远不是源自维也纳的最糟糕的学说,因为通过对教育所造成的深刻影响,西格蒙德·弗洛伊德很可能是文化的头号破坏者。尽管弗洛伊德在晚年撰写的《文明及其不满》(*Civilisation and its Discontents*)那本书中似乎也已对自己的学说所产生的某些影响感到了很大的不安,但是他的那个基本目标,即消除那些从文化上习得的压抑并释放先天的本能,却已然为人们对整个文明之基础进行(接下页注)

在讨论这个事例之前,我想先简要地介绍一下我要征引的那位论者,以免有人认为我是为了夸张而特意选择了某个根本不具代表性的人物来说明问题。这位论者就是享有国际声望的加拿大籍科学家、已故的布罗克·齐泽姆(Brock Chisholm)。他的声望可以经由这样一个事实而得到证明:他曾经受托创建了世界卫生组织(World Health Organisation),并担任了5年的首任秘书长,后来又当选为"世界精神健康联合会"(the World Federation of Mental Health)的主席。

在布罗克·齐泽姆担任这项国际使命之前,他曾经这样指出[22]:

> 我们应当重新解释并最终根除那种一直被人们视作儿童教育之基础的是非观念,并且应当用智性的、理性的思维来取代人们对前人所肯定的诸多确然之事的盲目信任,因为所有这些都是那种在实践中极为有效的精神疗法必须予以否弃的遗留之物。……要求我们停止对儿童进行道德说教和是非观念的教育并代之以保护他们原本就拥有的智性诚实的建议,当然会遭到异端者或反传统主义者的强烈抗议,就像一些人当年反对伽利略探寻另一个星球、反对进化论这个真理、反对基督解释希伯来诸神一样,亦像一些人当年反对任何试图改变旧有的错误方法和错误观点的努力一般。的确,有人认为,否弃是非观念会使人们变得野蛮、不道德和无法

(接上页注)最为致命的攻击铺平了道路。关于这个问题的讨论,请参见本丛书第三辑所收入的哈耶克于1979年发表的《人类价值的三个渊源》一文,原为《法律、立法与自由》全三卷的"跋文",邓正来等译,中国大百科全书出版社2000年版,第497~544页。——邓正来按

> 无天，而且还会使社会变得混乱不堪。但是，这种说法却纯属托词……实际上，大多数精神病学者和心理学家乃至许多其他值得尊敬的人士都是在摆脱了这些道德枷锁以后才获得自由观察和独立思考的能力的。……如果人类应当从那种区分善恶的并禁锢人之能力的负担中解放出来，那么精神病学家就必须首先承担起此项责任。这是我们必须直面的一项挑战。……与其他的人类科学一起，精神病学必须现在就决定人类不久之未来的境况。任何其他人都不可能承担此项责任，因为这是精神病学的首要责任之所在。

齐泽姆似乎根本就没有考虑过这样一个问题，即道德规则并不是直接为满足个人欲望服务的，而是帮助一个秩序发挥作用所必需的，甚至还是抑制人类从小群体的生活中承继而来的某些本能所必需的——因为人类在这些小群体中经历了最长时间的进化过程。当然，我们当中的一些无可救药的野蛮人肯定会特别憎恨这类限制性的规则。但是，我们需要在这里追问的是，精神病学家真的是高人一等的能够赋予我们新道德规范的权威者吗？

齐泽姆最后表达了这样一种希望，即二三百万训练有素的精神病学家，在适当的游说手段的帮助下，很快就能够成功地把人们从那种“不正当的”是非观念中解放出来。有时候，他们给人们留下了这样一种感觉，似乎他们已经在这个方面取得了很大的成就。

我要征引的第二个用科学谬误摧毁价值的当代事例，乃是我从法理学中得到的。在这个事例中，我们没有必要再去查证我将要征引的那位论者的身份了，因为他与第一个事例中的齐泽姆属于同一种情况。他就是我在维也纳大学的一位老师,汉斯·凯尔森(Hans Kelsen)。凯尔森明确地指出,“正义乃是一种非理性的观点”,并且继续指出[23]:

> 从理性认知的角度来看,所存在的只是人的利益,以及由此而产生的利益之间的冲突。这些冲突得以解决的方式,或者是以牺牲一方的利益来满足另一方的利益,或者是在彼此冲突的利益之间达成一种妥协。因此,人根本就不可能证明任何一种解决方法是正义的。

因此,对于凯尔森来说,法律只是一种为已知且特定的利益服务的刻意建构之物而已。如果说我们必须创造一个全新的正当行为规则系统,那么凯尔森的上述说法就完全有可能是必须做到的。我甚至也赞同凯尔森所提出的这样一个观点,即我们绝不可能以肯定的方式证明何者是正义的。但是需要指出的是,这并不能够否定我们所拥有的这样一种能力,亦即指出某项规则是不正义的规则的能力。此外,这也不能否定这样一种可能性,即经由坚持不懈地适用这样一种否定性的检测不正义的标准(a negative test of injustice),我们有可能以渐进的方式趋近正义这个理想。

的确,这只能适用于正当的个人行为规则,而不能适用于凯尔森(就像所有的唯社会论者一样)所构想的那些措施——因为在凯尔森看来,权力当局所采取的那些刻意的措施,其目的就在于实现他们所谓的“社会正义”(social justice)。然而,就界定或检测所谓的“社会正义”来说,无论是否定性的客观标准还是肯定性的客观标准都是不存在的,因为“社会正义”乃是所有语词当中最空洞无意的语词之一。

19世纪的自由理想乃是以这样一种信念为基础的,即人类社会生活中存在着这类客观且一般性的正当行为规则。而那种认为正义始终只是一个有关特定利益的问题的错误论断,却在很大程度上致使人们产生了这样一种信念,即我们除了把那些被当时的掌权者视作是正当的东西分配给每个个人以外,别无他择可言。

九

从上文所述的有关正当批判社会型构物的诸项原则当中,人们似乎可以得出一系列结论。现在,我想用明确的方式把这些结论陈述出来。由于上文的讨论已经为此项工作奠定了一个很坚实的基础,所以我现在可以用相对简洁扼要的文字来完成这项工作。然而,我不得不即刻提请你们注意,你们当中的保守主义者,尽管在此刻之前一直感到欣喜不已,但是现在却很可能要感到失望了,因为从我在上文中提出的种种观点中得出的恰当结论根本就不可能是这样一种结论,即我们会极有信心地接受所有传统的和旧有的价值。当然,它更不可能是这样一种结论,即人类社会生活中会存在一些科学不予质疑的价值或道德原则*。那些试图理解社会发挥作用的方式

* 哈耶克在这里再一次表明他与保守主义者之间的区别。实际上,早在此之前,亦即他在1960年出版的《自由秩序原理》著名跋文中,就已经明确阐说了他为什么不是一个保守主义者的理由。根据哈耶克的说法,他之所以反对保守主义,其主要原因有如下述:(1)保守主义担忧变化或进步;(2)它缺少对当局权限范围的关注;(3)它敌视民主,并且承认特权和业已确立的等级;(4)它还宣称超自然力量的权威[参见哈耶克:《自由秩序原理》(下卷),邓正来译,三联书店1997年版,第187~206页]。但是我认为,如果我们赞同K. Minogue有关保守主义道德论辩的定义,即把它视作一种不仅强调业已确立的传统的价值而且也旨在阐释那些反对个人理性能充分证明和指导人类事务之主张的哲学论辩(K. Minogue有(接下页注)

并力图发现社会中可以改进之处的社会科学家必定会主张这样一项权利，即以批判的方式对我们社会中的**每一项**价值进行检讨甚或裁定。从我所论的观点中，实际上只能得出这样一个结论，即我们绝不能在同一个时刻质疑社会中**所有的**价值。这样一种绝对且彻底的质疑只会摧毁我们的文明——从经济进步可以使人口数量增加的角度看——而且还会导致极其严重的饥贫现象。当然，彻底否弃所有的传统价值也是不可能的，因为这会使人们不知道如何行事。如果人类在文明这个进化过程中所形成的那些习得的传统价值（traditional and taught values）被否弃，那么这只能意味着对那些本能性价值（instinctive values）的重新诉诸，而所谓本能性价值，实际上就是人类在

（接上页注）关保守主义的讨论，参阅他在 P. Edwards 所主编的 *The Encyclopaedia of Philosophy*，London，1967，Ⅱ，pp. 195～198 所撰写的“保守主义”条目），并根据此一定义来检视哈耶克的自由主义哲学，那么我们可以说，哈耶克本人给出的那些理由并不能使他豁免于论者们依旧视他为一个保守主义者，这是因为哈耶克关于规则系统文化进化过程所具有的理性不及的性质与个人理性的限度的认识，不仅使哈耶克得出了个人无法根据理性完全证明社会和规则之正当性的结论，而且还致使他强调传统和社会秩序的重要性。换言之，在哈耶克那里，业已确立的传统的正当性乃植根于它的理性不及的性质和它所具有的独一无二的调适价值。就此而言，哈耶克凸显出了他的自由主义哲学的保守主义一面。当然，由于哈耶克的保守主义所试图守成的自发社会秩序乃是一种抽象的秩序，所以它并不是那种以 R. Scruton 为范例的“实质的保守主义”（substantive conservatism），而毋宁更趋近于以 Oakeshott 为代表的“抽象的保守主义”（abstract conservatism）（关于抽象保守主义，请参见 Oakeshott，*Rationalism in Politics and Other Essays*，London，1981；关于实质保守主义，请参见 R. Scruton，*The Meaning of Conservatism*，2nd ed.，London，1984。他们两者间的区别，主要在于他们所守成的对象完全不同：抽象保守主义者主要欲求坚持的乃是一种人的互动方式，在 Oakeshott 看来，这种方式并不是由他所谓的“文明结社”的政治结构所产生的，而是在其间得到维续的。然而，Scruton 的保守主义却较少关注特定结社方式的维续，而更关注现存文明秩序的维护，因此他认为，保守主义所应当维护的必须是合法建构的实际存在的文明秩序，或者说它的使命也就在于反对和防阻这种状态的丢失）。——邓正来按

数千年的部落生活中形成的而且现在很可能在某种程度上已经变成了那些遗传性的(或固有的)价值。这些本能性价值与开放社会(open society)的基本原则常常是不相容合的——亦即把相同的正当行为规则适用于我们与所有其他人的关系之上的原则——值得注意的是,我们这个时代的年轻革命者也信奉这些本能性价值。这样一种大社会之所以有可能,当然不是以本能为依凭的,而是以习得的规则之治理为基础的。这就是理性的规训(the discipline of reason)[24]。它不仅约束着本能性的冲动,而且还是以那些从一种人际思想过程中形成的行为规则为依凭的。在人际间展开的这个过程中,所有分立且个人化的价值系统都会随着时间的推移而渐渐变得彼此调适或相容。

一个价值系统经由文化传播或文化扩展而得以持续展开的进化过程,必定是以这样一种批判作为其内在基础的,亦即从个别价值与社会中所有其他的价值是否一致或是否相容合的角度出发对这些个别价值进行的批判。当然,为了这个目的,社会中所有其他的价值就必须被视作是给定的和不容置疑的。换言之,我们能够据以判断或裁定我们社会中的特定价值的唯一标准,便是我们社会中作为整体的所有其他价值。更为确切地说,经由人们遵循这些价值而产生的那种实际存在的但却始终处于不完善状态的行动秩序,为人们进行价值判断提供了检测标准。由于普遍盛行的道德系统或价值系统并不总是能够对那些不断产生的问题做出明确无误的回答,而且还常常被证明存在着内在的矛盾,所以我们也就不得不持续不断地去发展和改进这些道德系统或价值系统。有时候,我们还不得不牺牲某个道德价值,但是我们却始终只能够为了维续其他被我们视为更为优越的价值而牺牲这个道德价值。我们根本就无法逃避这种抉择,其原因就在于它是一个不可或缺之过程的一个部分。在做这种抉择的时候,我们肯定会犯许多错误。有时候,之所以整个群体乃至整个民族都会走向衰败,就是因为它们选择了错误的价值所致。理性必须在给定价值之间所展开的这种彼此调适的过程中证明自己,而且还必须践履它所承担的一项最为重要但却极不受人欢迎的使命,亦即明确指出我们思想和感情当中的内在矛盾。

一些人认为,人类作为一种存在,由于拥有理性而能够位于其文明的价值之上,进而能够从外部或者从一个更高的位置对其文明进行审视和判断。但是我们必须指出的是,这样一幅图景实际上只是一种幻想而已。我们所能够做的,就是用一个部分与所有其他部分进行比较或者根据所有其他部分对一个部分进行检视。显而易见,即使是这样一个过程也会导致持续不断的运动,而这种持续不断的运动则有可能在漫长的时间岁月中逐渐改变整体。但是需要指出的是,在这个过程的任何阶段上,对整体进行一步到位的彻底重构都是不可能的,其原因就在于我们必须始终使用那些可资利用的资源,而这些资源本身则是进化过程内生的一种产物。

我希望我已经把这样一个观点阐释得足够清楚了,即对我们的文明构成威胁的并不是科学进步(尽管有时候人们会这样认为),而是那种通常以一种妄称我们拥有我们实际上并不拥有的知识的假设为基础的科学谬误。如果我们不搞清楚这一点,我们就会强求科学为那些科学代言人所做的坏事承担恶名。知识的增长为我们提供了这样一种洞见,即我们受着一些价值的支配,而这些价值却不是我们创制的,甚至就连它们所具有的重要性也是我们知之甚少的。正是由于我们受着这些价值的支配,所以我们现在才可以在我们的能力所及的范围内去努力实现当下水平的科学所提出的目标。只要我们还未能就一些至关重要的问题[比如说这样一个问题:如果我们不承认生产工具中的私有分立财产权(private several property),那么一种竞争性的市场秩序是否还具有可能性呢?]达成共识,那么显而易见,我们肯定还没有很好地理解现行秩序赖以为基础的那些基本原则。

如果说科学家们还没有意识到他们因未能理解价值之于维续社会秩序的作用而引发的责任的话,那么这在很大程度上是因为这样一种观念所致,即科学本身并不关注价值的效力(the validity of values)。的确,从我们对事实之间所存在的因果关系的理解当中,我们并不能够推论出有关价值之效力的结论。这无疑是一个**真实的**陈述,但是值得我们注意的是,正是这个陈述被夸大成了这样一个错误的信念,即科学与价值不涉。

我们应当立刻改变这种态度,因为科学的分析表明,现存的事实性社会秩序之所以存在,实是因为人们接受了某些价值所致。就这样一种社会系统而言,如果我们不假定人们普遍遵循着某些规范的话,那么我们不仅对价值之效力无法做出陈述,而且就是对特定事件所具有的影响力也会无法给出陈述[25]。依据这类含有价值的前提,人们完全有可能就某个论辩所预设的各种价值是否相容的问题得出结论。据此我们可以说,人们根据科学应当与价值不涉这个前提所得出的“价值性质的问题在某个给定的系统当中是不可能用理性的方式加以决定的”结论是错误的。当我们不得不去研究或不得不去面对一种持续展开的社会有序化过程——其间所存在的绝大多数支配性价值都是得到公认的——的时候,有关特定问题的答案往往只有一个,亦即它们与该系统的其余部分是否相容合[26]。

我们常常会看到这样一种奇怪的现象,即一些科学家在特别强调科学具有价值不涉之特性(the wertfrei character)的同时,却竭力用这种科学去摧毁那些盛行的价值,并且把它们贬斥为一些只是对非理性的情感或特定的物质利益的表达。这些科学家常常给人们这样一种印象，即唯一在科学上受到尊重的价值判断乃是这样一种判断：我们所拥有的那些价值实际上是没有价值的。据此我们可以说，这种态度乃是因为人们错误地理解了那些为人们所接受的价值与当下普遍存在的事实性秩序之间的关系而导致的一个结果[27]。就此而言，我们所能够做的——而且也是我们必须做的——就是根据所有其他价值这项标准对人们提出质疑的每一项价值进行检测。当然，前提是我们可以假设我们的听众或读者会与我们共同信奉此项标准。人们在当下主张的有关我们应当避免进行任何价值判断的那项要求，在我看来，已经变成了胆怯者的借口。这些胆怯者不想得罪任何人，因此他们就用这种借口把自己的偏好隐藏起来。当然，更为常见的乃是这样一种情况，即人们遵循那项要求，只是为了逃避对他们必须在他们面对的各种可能性之间做出选择这个问题进行理性思考，因为众所周知，做出这种选择，意味着他们必须牺牲某些他们同样希望实现的目标。

我认为，社会科学所担当的最为崇高的使命之一，便是明确地揭示出价值之间所存在的这些冲突。

据此我们可以说，我们有可能证实这样一个问题，即那些以人们接受价值（但是这些价值并不是作为个人或群体刻意追求的目的而为人们所接受的）为依凭的东西，实际上就是事实性秩序的基础；而根据我们的预设，这些基础乃存在于我们所有的个人努力之中。

【注释】

[1]参见我于1964年在东京所做的演讲："Kinds of rationalism"，载于拙著：*Studies in Philosophy*, *Politics and Economics*, London and Chicago, 1967。

[2]在我偶尔读到的文献当中,论者们明确指出了这样一个事实,即“建构主义的”(constructivist)这个形容词乃是格拉斯通(W. E. Gladstone)最喜欢用的一个术语,但是我却未能在他业已出版的论著中发现这个术语。较为晚近的时候,这个术语还被用来描述一种艺术运动,而在这场运动中,这个术语的含义与我们在本文中所讨论的那个概念并不是没有关系的。参见 Stephen Bann, *The Tradition of Constructivism*, London, 1974. 也许,为了表明我们乃是在一种批判的意义上使用这个术语的,“constructivistic”这个术语可以说要比“constructivist”那个术语更妥切。

[3]这是 W. C. Mitchell 于 1923 年在纽约的哥伦比亚大学所做的演讲中指出的。如果说我在那个时候就能够对这种说法持有某些保留意见,那么这主要得益于我们当时对 Carl Menger 所著的 *Untersuchungen über die Methoden der Socialwissenschaften und der politischen Okonomie insbesondere* (Leipzig, 1883)一书中所提出的“思想不及之行动”(non-reflected action)的效应所做的讨论。

[4]参见 Max Weber, *Wirtschaft und Gesellschaft*, Tübingen, 1921, chapter 1, paragraph 2;然而,他的观点却无法给我们多少帮助,因为相关讨论所指涉的那些“价值”(values)实际上很快就会变成刻意追求的特定目的。

[5]尤请参见拙文《人之行动而非人之设计的结果》(The results of human action but not of human design)和《大卫·休谟的法律哲学和政治哲学》(The legal and political philosophy of David Hume),载于 *Studies on Philosophy, Politics and Economics*,并请参见我就“Dr Bernard Mandeville”所发表的演讲,上引书,p. 249。

[6] Voltaire, *Dictionaire philosophique, s. v. 'Loi', reprinted in uvres philosophiques de Voltaire*, ed. Hachette, Paris, n. d., XVIII, p. 432.

[7]笛卡尔对他就政治和道德问题发表的意见是有所保留的,而且也只是在极为罕见的场合明确指出了他的哲学原则对这些问题所造成的影响。但是,请读者比

较一下他在其所著 *Discours de la méthode* 一书第二卷的开篇所写的一段著名文字:"je crois que, si Sparte a été autrefois très florissante, ce n' a pas été à cause de la bonté de chacune de ses lois en particulier, vus que plusieurs étaient fort etrange et même contraire à bonnes meurs; mais à cause que, n' ayant été inventée que par un seul, elles tendaient toutes à même fin". Alfred Espinas 在其所著 *Descartes et la Morate*(Paris, 1925)一本中极为明确地指出了笛卡尔哲学对道德规范所产生的影响。

[8]参见 R. Derathé, *Le Rationalisme de f. -f. Rousseau*, Paris, 1925。

[9]Torgny T. Segerstedt, "Wandel der Gesellschaft", *Bild der Wissenschaft*, Vol. Ⅵ, no. 5, May 1969, p. 441. 又请参见该作者所著的 *Gesellschafiliche Herrschaft als soziologisches Konzept*, Neuwied and Berlin, 1967。那种反复为人们所强调的有关人类或理性能够决定自身的观点,早些时候的范例,尤请参见霍布豪斯(L. T. Hobhouse)和卡尔·曼海姆(Karl Mannheim)的论著。实际上,我已经在一部早些时候发表的论著中(*The Counter-Revolution of Science*, Chicago, 1952)指出了这些事例,但是在此之前,我并没有想到我能够发现这种观点的代表人物——比如说心理学家 B. F. Skinner('Freedom and the control of men', *The American Scholar*, vol. XXVI, no. 1, 1955 ~ 1956, p. 49)——所给出的明确断言,即"人类凭靠自己的力量就能够使自己得到提升;当然,这种情况只是指现在而决非过去"。读者将发现,同样的观点还可以见之于精神病学家 G. B. Chisholm 所撰写的一段文字,而关于他的这段文字,我将在后文加以征引。

[10]参见拙文《规则、认知和可知性》(Rules, perception and intelligibility),载于拙著:*Studies in Philosophy, Politics and Economics*。

[11]例如,读者可以参见 Gunnar Myrdal, *Beyond the Welfare State*, London, 1969, p. 17,"财产权和契约这两项极为重要的戒律,尽管对于一个稳定的自由社会来

说乃是特别基本的规则,但是当允许人们就通货的实际价值进行重大选择的时候,上述两项规则的作用也就肯定减弱了";以及上引书第19页,"社会戒律绝不可能通过那些以反思和讨论为基础的决策而得到确立"。

[12]我在就"Rechtsordnung und Handelnsordnung"所做的演讲中更为广泛地讨论了这些问题,载于 E. Streissler (ed.), *Zur Einheit der Rechts-und Staatswissenschaften*, Karlsruhe, 1967;重印于拙著:*Freiburger Studien*, Tübingen, 1969,以及 *Law, Legislation and Liberty*, vol. Ⅰ, *Rules and Order*, London and Chicago, 1973.

[13] R. S. Peters, *The Concept of Motivation*, London, 1958, p. 5.

[14]有关社会科学中的这些"达尔文之前的达尔文主义者"(Darwinians before Darwin),请参见拙文:《人之行动而非人之设计的结果》(The results of human action but not of human design)和《大卫·休谟的法律哲学和政治哲学》(The legal and political philosophy of David Hume),载于拙著:*Studies in Philosophy, Politics and Economics*。

[15] 参见我所做的演讲:"Rechtsordnung und Handelnsordnung",上文注释[12]中所做的征引。

[16] 就此而言,请参见 K. R. Popper, *The Open Society and Its Enemies*, Princeton, N. J., 1963, Vol. I, p. 64:"人们(针对规范是人制定的这个说法)所具有的几乎所有的误解,都可以追溯至一个根本错误的观点,也就是可以追溯至这样一种信念,即'约定'(convention)隐含有专断的意思";另请参见 David Hume, *A Treatise on Human Nature*,载于 *Works*, ed. T. H. Grose, London, 1890, Vol. Ⅱ, p. 258:"尽管正义规则是人为的(artificial),但是它们却不是专断的(arbitrary)。而且把它们称作是自然法(Laws of Nature)也没有什么不妥,只要所谓'自然的',按照我们的理解,是指那种为任何物种所共通的东西,甚或仅仅是意指那

种与人类不可分割的东西。”

[17]参见拙文:“复杂现象的理论”(The theory of complex phenomena),载于拙著:*Studies in Philosophy,Politics and Economics*。

[18] Auguste Comte,*Système de la politique positive*,Paris,1854,Vol. I,p. 356:“La supériorité de la moral démontrée sur la moral revelée!”

[19]有关晚近对功利主义的讨论的结果,请参见 David Lyons,*Forms and Limits of Utilitarianism*,Oxford,1965;D. H. Hodgson,*Consequences of Utilitarianism*,Oxford,1967;以及载于 M. D. Bayles 所编辑的 *Contemporary Utilitarianism*(New York,1968)一书中的那些论文。

[20] 参见 Rudolf Carnap 所发表的论著,尤请参见 A. J. Ayer,*Language*,*Truth and Logic*,London,1936。

[21] 对这种计划经济之缺陷的承认,人们在今天一般都将之归功于路德维奇·冯·米塞思(Ludwing von Mises)于本世纪(指 20 世纪——编者注)20 年代开始在其论著中对这些问题所做的极为重要的讨论;当然,这种看法是相当有道理的。但是,我们不应当因此而忽略这样一个事实,即在米塞思之前,一些经济学家已经明确提出了许多重要的观点。就此而言,Erwin Nasse 在“Uber die Verhütung der Produktionskrisen durch staatliche Fürsorge”一文(*Fahrbuch für Gesetzgebung etc.*,N. S. ,1879,p. 164)中所提出的观点就被人们忽略了,我们不妨将其征引如下:“Eine planmässige Leitung der Produktion *ohne* Freiheit der Bedarfs-und Berufswahl wärde nicht geradezu undenkbar,aber mit einer Zerstorung alles dessen,was das Leben lebenswert macht,verbunden sein. Eine planmässige Leitung der gesamten wirtschaftlichen Tätigkeit *mit* Freiheit der Bedarfs-und Berufswahl zu vereinigen ist ein Probem,das nur mit der Quadfatur des Kreises verglichen werden kann. Denn,So wie man jedem gestattet,die Richtung und Art

seiner wirtschaftlichen Tätigkeit und Konsumtion frei zu bestimmen, verliert man die Leitung der Gesamtwirtschaft aus der Hand."

[22] George Brock Chisholm, "The re-establishment of peacetime society", The William Alanson White Memorial Lectures, 2nd series, *Psychiatry*, Vol. Ⅸ, no. 3, February 1946 (with a laudatory introduction by Abe Fortas), pp. 9 ~11. 另请参见 Chisholm 所出版的两本著作: *Prescription for Survival*, New York, 1957, and *Can People Learn to Learn*, New York, 1958, 以及他的另一篇论文: "The issues concerning man's biological future", 载于: *The Great Issues of Conscience in Modern Medicine*, Hanover, N. H., 1960。在这篇论文中,他指出(p. 61):"据我所知,我们甚至还没有一个专门关注'人类生存'的政府部门。再者,如果针对某个问题,我们没有政府部门予以专门关注,那么显而易见,这个问题就不是很重要的问题。"

众所周知,类似的言论在过去 150 年里实在是数不胜数,我们可以在这里仅征引几例。俄国革命者 Alexander Herzen 就曾经指出,"你想要一本规则手册,可是我认为,一个人到了一定的年龄以后,他就应当为他仍旧不得不使用这种规则手册而感到羞耻","(因为)真正自由的人会创制自己的道德规范"(Alexander Herzen, *From the Other Shore*, ed. I. Berlin, London, 1956, pp. 28 and 141)。这种观点与一位当代的逻辑实证主义者 Hans Reichenbach 的观点无甚差异。比如说他在其所著 *The Rise of Scientific Philosophy* (Berkeley, Calif., 1949, p. 141)一书中指出,"我们绝不可以在规则中寻求理性的力量,因为这些规则本是理性对我们的想象力发出的指令。因此,我们必须在那种可以把我们从任何经由经验和传统而束缚我们的规则中解放出来的能力当中探寻理性的力量。"有关 J. M. Keynes 的观点(*Two Memoirs*, London, 1949, p. 97)——我在早些时候与此类似的情形中已经征引过了——在我看来,在很大程度上已经丧失了它的意义,因为 Michael Holroyd 在其所著 *Lytton Strachey, a Critical*

Biography (London,1967 and 1968)一书中已经明确指出,Keynes 所谈论的那个群体中的绝大多数人,也包括他本人,都是同性恋者。这一点很可能足以解释他们为什么反对占据支配地位的道德规范了。

[23] Hans Kelsen, *What is Justice?*, Berkeley, Calif., 1957, p. 21;而在他所著的 *General Theory of Law and State* (Cambridge, Mass., 1949, p. 13)一书中,也有着几乎完全相同的说法。把正义概念从法律当中根除掉的主张,当然不是 Kelsen 的发明,而是整个法律实证主义所共有的一种观点,尤其是世纪之交德国的法律理论家所特有的一种观点。有关这些法律理论家,Alfredvon Martin 在其所著 *Mensch und Gesellschaft Heute*(Frankfurt a. M., 1965, p. 265)一书中确当地指出,"In wilhelminischer Zeit machten schliesslich, wie Graf Harry Kessler in seinen continued overleaf Erinnerungen berichtet, berühmte deutsche Rechtslehrer so etwas wie einen Sport daraus, bei jeder Gelegenheit zu betonen, dass Gerechtigkeit natürlich nicht das Geringste mit Recht zu tun habe. Die Frucht war die Lehre von der entscheidenden rechtlichen Potenz der 'Entscheidung', der Dezisionismus Carl Schmitts, des Kronjuristen der braunen Diktatur."

有关法律实证主义终结了德国自由主义的一个极佳的阐释,请参见 John H. Hallowell, *The Decline of Liberalism as an Ideology with Particular Reference to German Politico-Legal Thought*, Berkeley, Calif., 1943.

[24] "理性"(reason)这个术语,在这里采用 John Locke 在其所著 *Essays on the Law of Nature* (ed. W. von Leyden, Oxford, 1954, p. Ⅲ)一书中所解释的那种含义:"然而,所谓理性,我并不认为它在此处的含义是指那种构成了思想之链以及推论证据的领悟能力,而是指一些明确的行动原则,正是在这些原则的基础上,产生了所有的德性以及对于确立养育道德所必需的一切东西。"

[25] 就此而言,请参见 H. A. L. Hart 在其所著 *The Concept of Law* (Oxford, 1961, p.

188)一书中的观点:“我们所关注的乃是那些持续存在的社会安排,而不是一个自杀俱乐部的那些安排。我们想知道,在这些社会安排当中,是否存在着这样一些社会安排,即那些可以极为明确地被置于人们经由理性而可能发现的自然法的位置上的社会安排,以及这些社会安排与人定法和道德有着什么样的关系。为了提出‘人们是如何会生活在一起的’这样的问题,我们就必须做出这样的假设,即从一般的意义上讲,他们的目的是为了生存。从这个角度来看,道理也就相当简单了。对一些有关人们生活于其间的世界和人性的极为显见的一般性概括(实际上是一些老生常谈)所做的思考或反思表明,只要它们是可以适用的,那么就肯定会有一些行为规则是任何社会组织——如果它要存续下去的话——所必须拥有的。”一位人类学家也持有类似的观点,而这可以见之于 S. F. Nadel 所著的 *Anthropology and Modern Life* (Canberra, 1953, pp. 16 ~ 22)一书。

[26]我在这个方面的观点与 Luigi Einaudi 在他为 C. Bresciani-Turroni 所著的一本书所写的导论中详尽描述的那种观点极其相似,不过我只读过这本书的德语译本:*Einführung indie Wirtschaftspolitik*, Bern, 1948, p. 13。Luigi Einaudi 在那篇导论中指出了他的观点的转变过程:一开始,他认为经济学家必须以一种默会的方式接受立法者所追求的那些目标,后来他对这一点越来越感到怀疑,甚至认为他总有一天会得出这样一个结论,即经济学家应当把他所承担的批判手段的任务与批判目的的任务结合起来,而且对目的进行探究的工作将被证明是科学工作的一部分,就像科学在今天只限于探究手段的工作是科学工作的一部分那般。此外,他还指出,研究手段与目的是否相符合的问题以及业已确立的目的之间的逻辑一致性问题,要比各种研究独立的目的的可接受性及其价值这个问题的工作困难得多,而且也肯定与后者具有同等的道德价值。

[27] Gunnar Myrdal 于 1970 年 2 月 19 日就 *Objectivity in Social Research from which*

The Times Literary Supplement 问题所做的演讲，显然为我们在正文中所讨论的问题提供了一个很好的说明。他在该演讲中征引了这样一种“科学客观性”(scientific objectivity)的定义，认为“科学客观性”可以使研究者摆脱下述三种因素的影响：“第一，该学者研究领域中由早期论著构成的强有力的遗产，其间一般含有那些从过去几代人那里继受而来的并且以形而上的自然法道德哲学和功利主义道德哲学——我们所有的社会理论和经济理论都是这些哲学的分支——为基础的规范性观念和目的论观念；第二，该学者置身于其间——他在这里生活、工作和谋求生计及地位———的社会中的整个文化环境、社会环境、经济环境和政治环境的影响；第三，那种源出于该学者自身性格的影响——当然，他的性格不仅是由传统和环境塑造的，而且也是由他的个人履历、体格和倾向促成的。”

解释的程度[*][**]

一

长期以来，有关科学方法的讨论，在很大程度上讲一直受着古典物理学之典范的支配。情势之所以发展至此，主要是因为通过运用物理学这个领域中的事例，人们可以最容易地说明科学方法的某些特征；而另一部分则是因为人们相信，物理学乃是所有经验学科中发展最快的学科，因此应当成为所有其他学科效仿的楷模。然而，不论上述后一种观点有什么道理，它都不应当使我们忽视这样一种可能性，即某些典型的物理学方法有可能并不具

---

* 本文译自哈耶克著：*Studies in Philosophy, Politics and Economics*, the University of Chicago Press, 1967, pp. 3 ~ 21。

** 本文原发表于 *British Journal of Philosophy of Science*, Ⅵ, 1955；本文最初发表时，手稿中最后四段文字因版面的原因而未能得到发表。

这篇论文的论题与《复杂现象理论》一文所讨论的论题是紧密相关的，其联系程度之紧密，以至于可以把这两篇论文视作是我（哈耶克）在大约 8 年期间对同一个论题所做的研究。然而，我之所以决定不仅把这两篇论文予以重印而且还把先发表的这篇论文置于本书篇首，实是因为这两篇论文乃是从多少有些不同的角度来探讨这个论题的，而且所论涉的也是同一个问题的不同方面。

有普遍适用性，而某些其他学科的方法——不论它们是“自然科学”的学科还是“社会科学”的学科——之所以不同于物理学的方法，并不是因为这些学科不够先进，而是因为它们研究领域中的情形在某些重要的方面不同于物理学中的情形。较为具体地说，那种被我们视作是物理学领域中的现象，完全有可能是指所有这样的现象：在这样的现象当中，紧密相关的不同种类的变量特别少[1]，少到足以使我们能够把它们当作一个我们能够对其间的所有决定性因素进行观察和控制的封闭系统加以研究；而我们之所以趋向于认为某些现象不属于物理学的范畴，其原因就在于这些现象与上述物理学的现象不同。如果以上所述是真的，那么试图把若干依据这些特殊条件而成为可能的那些方法强加给另外一些被视作独特的学科的做法就肯定是荒谬的，而人们之所以把这些学科视作是独特的，完全是因为在这些学科领域中，上述那些特殊条件并不占据支配地位。

为了阐明科学方法中所存在的某些尚未得到人们普遍理解的方面，我们将以一种在当下得到广泛接受的解释作为我们的出发点，亦即把那种视理论科学为一种“假设—演绎”系统（a “hypothetico-deductive” system）的解释作为我们的出发点。一个人也许会接受构成这一认识进路之基础的大多数基本观点，然而他仍会感到，这种认识进路也可以被人们按照一种能够使它不适合某些学科的方式加以解释。这种认识进路的基本观点只适合于一种颇为狭义的解释，而根据这种解释，**一切**科学方法的本质就在于发现人们能够从中得出某些可以经受检验的预测的**新陈述**（“自然法则”或“假设”）。然而，这种解释却有可能严重妨碍我们深入理解某些领域，因为在这些领域当中，从现在的情势来看，一种与此不同的方法肯定是我们在我们生活于其间的复杂世界里获得指导的唯一有效的方法，也许永远都会如此。

卡尔·波普尔(Karl Popper)一直在阐释那种视科学为一种假设—演绎系统的观点,而他采用的那种阐释方式也显然揭示出了某些极为重要的要点[2]。他明确指出:第一,理论科学在本质上讲都是演绎性的(deductive);第二,所谓从事实的观察中必然可以得出一般性规则之说明的那种"归纳"(induction)的逻辑方法,实际上根本就是不存在的;第三,后者只是心智所进行的那些无从确定的创造性活动的产物。除此之外,他还强调指出了这样一个重要观点,即理论所得出的结论,从本质上讲都有着禁令(prohibitions)的性质:它们"禁止"出现某些种类的事件,而且也根本无法得到明确的"证实",而只能够一点一点地经由持续不断地力图证伪它们的失败尝试而得到确证。就本文的下述讨论而言,我们将接受波普尔观点中的这一部分论证。

值得我们注意的是,这种认识进路中还包含着另一个具有同等启示性的观点。然而,如果过分拘泥于它的字面含义,那么这个观点便特别容易引起误解。这就是波普尔在私下交谈中[3]偶尔表达的那种观点。他指出,科学并不像人们普遍认为的那样,可以用已知解释未知,恰恰相反,科学只能用未知去解释已知。这种表面上看似荒谬的说法意味着,知识的进步在于提出一些常常指涉人们无法直接观察到的那些事件的新陈述,而且经由与其他有关特定现象的陈述相结合,我们还可以从那些新陈述中推论出某些能够通过观察而加以证伪的陈述。我确信不疑,强调这样一种观点乃是极为重要的,因为在这些情形中,知识的增进乃是隐含在那些构成我们演绎论证之部分基础的新陈述(假设或自然法则)之中的。但是在我看来,它所指出的并不是所有科学方法的一般性特征,而只是物理学中的一个常规性特征,偶尔也是生物科学中的一个特征,但是它却是以许多其他领域并不拥有的一些条件为前提的。

二

即使是对于自然科学来说,强调那种从有待检验的假设中得出可以被证伪的结论的方法,也都可能太过了。毋庸置疑,这些学科的价值在很大程度上都源自这样一个事实,即一旦它们的假设得到了认可,那么我们便能够极有把握地从这些假设中得出某些可以适用于新情势的结论,并且可以在没有对它们进行检验的情况下就把它们视作是真实的。当理论家提出的假设似乎得到了充分证实的时候,他的工作并没有结束。显而易见,对这些假设所具有的全部意义进行彻底的思考,本身就是一项极为重要和有价值的活动。有时候,这会是一项十分复杂且特别棘手的工作,因为它需要思考者具有最高的天赋。任何人都不会否认,人们在这个方向上所做的持续努力乃是科学之常规工作的一部分。事实上,所有的理论学科所关注的几乎都是这种活动。有关一种理论的适用范围或一种理论的适用能力的问题[亦即它能否说明某些特定的受观察的现象的问题,或者受观察的事件是否处在人们有可能从该种理论中预测出的那些事件的范围之内——如果所有相关的事实性基据(factual data)都已为人们所知而且如果我们能够恰当地操控这些基据],乃是极有意义的,正如从该种理论中得出的特定结论能否得到证实的问题一般。然而显见不争的是,前一个问题又独立于后一个问题。

当我们从"纯粹的"物理学理论转向天体物理学或地球物理学的各种分支(地震学、气象学、地质学、海洋学等)这类有时被称之为"应用"科学(applied sciences)的学科的时候,理论家工作的这些方面便会变得越来越明显。"应用科学"这个名称,很难描述出上述学科的工作所具有的独特性。

在这种情形中，这个名称既不是用来表示这些学科——就像技术一样——服务于人类的特定需要，也不是为了表明它们的适用性只限于特定的时空范围。所有这些学科都旨在提出一般性的解释；至少从理论上讲，这些解释所具有的重要意义乃是与它们旨在解释的那些特定事件相分离的。理论家在地球海洋学中提出的那种潮汐理论在很大程度上也可以适用于火星等天体上的海洋。这些理论的特点在于，它们从一定意义上讲乃是衍生性的（deriative），它们是由一些从已知的物理学定律组合中得出的演绎陈述组成的，因此从严格的意义上讲，它们并不陈述它们自己领域的独特定律，而只是经由详尽阐释而把物理学定律转化成一些适合于它们所指涉的那些独特现象的解释模式（explanatoly patterns）。当然，我们可以设想这样一种情况，对潮汐的研究有可能导致一项新的自然法则的发现；然而，如果对潮汐的研究真的导致了一项新的自然法则的发现，那么它也极可能是一项新的物理学定律，而不是一项海洋学定律。但是，海洋学仍然包含着一些一般性陈述：它们并非物理学定律本身，而是经由详尽阐释而从物理学定律中转化出来的为了说明某些典型的物理事件组合之共同效应的具体论证模式——亦即为了解释反复出现的事件类型而提出的一些具体的论证模式。

毋庸置疑，在建构这类演绎系统的时候，理论家根据每个阶段的事实对那些结论进行检验，乃是颇为可欲的。我们绝不能排除这样一种可能性：即使是最得人们认可的定律，在它尚未接受检验的那些条件下，仍有可能是无法成立的。需要指出的是，尽管始终存在着这种可能性，但是对于一项业已得到切实证实的假设来说，发生这种情况的可能性是极小的，因此我们在实践的过程中常常会不考虑这种可能性。据此我们可以说，虽然我们无力对我们能够从一些可靠的假设组合中得出的那些结论进行检验，这些结论仍是极有价值的。

从一种特定的意义上讲，为了说明受观察的现象而提出的这种演绎论证并不含有**新的**知识。一些人在一般的情况下并不关注这类为了解释典型的复杂情势而精心建构起来的解释模式。因此，对于他们来说，那些纯粹演绎已知定律之综合效应的工作，似乎是琐细繁复且微不足道的。但是，只有当上述观点也可以适用于数学论证的时候，这种观点才是有道理的。某些结论隐含在我们已知的定律之中的事实，未必就意味着我们也意识到了这些结论，或者说这些结论有助于我们解释我们所观察的现象事实，未必就意味着我们有能力运用它们。事实上，任何人都不可能把我们现有的知识甚或我们在日常生活中运用的某些最琐细但无疑属于行事之前提的知识中所隐含的所有结果或结论全都揭示出来。确定我们所观察的现象在多大程度上可以根据已知定律得到解释，或确定这些现象在我们拥有所有相关基据时在多大程度上可以得到如此的解释，往往是一项极为棘手的工作。从我们业已拥有的知识中尽可能多地达致有意义的结论，当然不是一项纯粹演绎的工作，因为这项工作还必须受到论者在选择问题时所做的观察的指导。需要强调指出的是，尽管观察可以提出问题，但是对问题的回答却仅仅取决于演绎。

由此可见，在上文所述的学科中，重要的问题通常来讲并不在于那些用来解释现象的假设或定律是否是真实的，而在于我们是否从我们所拥有的为人们公认的陈述中选择了恰当的假设，以及我们是否以正确的方式把它们组合了起来。这样一种对某些现象的“新”解释，新就新在它把理论陈述（theoretical statements）与那些被视为对特定情形（亦即“原初的”和“边际性的”状况）具有重要意义的事实性陈述（statements about facts）进行了特定的组合,而不是新在它作为出发点的任何一项理论陈述。此外,问题并不在于模式本身是否真实,而在于该项模式是否可以适用于(或符合于)它旨在解释的那些现象。

至此,我们主要对所谓的物理学应用分支学科进行了讨论,并且希望通过这项讨论能够说明这样一个道理:即使在这些学科领域中,许多无疑属于理论研究的工作,其目的也不在于发现新的定律并对它们进行证实,而在于从公认的前提中精心提炼出可以对受观察的复杂事实做出说明的演绎性论证模式。在这些事例中,如果我们可以说假设必须得到检验,那么我们也必须根据这样一种断言对它们进行检验,即这个或那个模式是否与一种受观察的情形相符合,而不得根据那些构成解释模式本身并被假定为真实的条件性陈述(the conditional statements)对它们进行检验。我们拟在下文中对这种方法的独特性做更为充分的讨论。现在,我们的目的只在于下述两个方面:第一,我们想强调指出,即使在自然科学的进步中,发现一项真正新的自然法则也是比较罕见的事情;第二,我们意在指出,我们能够据以指望发现这种新自然法则的条件乃是极为特殊的。

三

所谓科学预测(a scientific prediction),我们是指运用某项规则或某项定律,以求从某些有关既有条件的陈述中推论出将会发生什么事情的陈述(包括我们在探究某个特定问题时会发现什么东西的陈述)。这种科学预测的最为简单的形式就是一种条件性陈述或"假如—则"式的陈述("if then" statement)与这样一种断言(即前提中所陈述的条件可以在某个特定的时空中得到满足的断言)相结合的形式。在这个方面,通常没有得到明确考虑的乃是这样一个问题,即对那些在法则中、在原初和边际性条件的陈述中以及在预测中论及的事件所做的描述需要多么具体,才能够称得上是一项预测。根据一般从物理学所征引来的简单事例,人们很容易得出这样的结论,即对于我们所关注的现象,我们通常都能够根据我们自己需要的精确程度而对我们所关注的现象的所有方面做出相应精确程度的说明。如果我们用“假如 u,v 和 w,则 z”的形式来表示这种形式的陈述,那么我们往往不言自明地假定了这样一种情况:对 z 的描述至少包含了 z 所具有的被认为对研究相关问题极为重要的所有特征。当我们研究的关系乃是数量相对较少的计量单位之间的关系的时候,这似乎是顺理成章的,而且也不会碰到特别严重的麻烦。

但是,当存在着很多意义重大的独立变量而且其中只有一部分变量能够在实践中加以个别观察的时候,情况就不同了。这时的情况往往是:如果我们业已知道相关定律的话,那么我们便能够做出这样的预测,即假如数百个严格限定的因素的数值为 $X_1, X_2, X_3, \cdots, X_n$,则始终会出现 $Y_1, Y_2, Y_3, \cdots, Y_n$。然而事实上,我们的观察所能够表明的仅仅是:假如 X_1, X_2, X_3 和 X_n,则会出现要么(Y_1 和 Y_2),要么(Y_2 和 Y_3),或者与此类似的情况——也许还可能是:假如 X_1, X_2, X_3 和 X_4,则会出现某种 Y_1 和 Y_2,而这二者之间又会存在着要么关系 P 要么关系 Q。采用观察的手段大概只能做到这一点了,因为我们知道,我们在实践中不可能对 $X_1, X_2, X_3, X_4, \cdots, X_n$ 这些因素间的所有可能组合进行检验。如果在面对这种繁复情况的时候我们的想象力只能够揭示出上文所示的精确规则,那么进行任何系统的检验都无法帮助我们克服这种困难。

由此可见,在诸如此类的情形中,对复杂事实的观察并不能够使我们提出我们能够据以演绎出有关尚未观察的情形之预测的新假设。我们无力发现那些能够使我们做出新预测的有关复杂现象的新的自然法则。当下的观点往往认为,这种情形超出了科学方法的适用范围(至少就现有的观察技术来说是如此),而且人们也同意,从眼下的情况来看,科学也必须以此为限。如果这是正确的,那么这种情势便是十分严重的。这意味着任何人都无力保证:第一,我们将肯定能够(无论是身体的能力还是思想上的能力)处理具有任何复杂程度的现象;第二,在复杂程度上超出上述限制范围的那些现象并不十分重要。

但是,只要我们没有理由认为,我们所关注的所有事件都能够满足标准的物理学方法所预设的那些条件,那么我们也就无须对我们能够了解某些并未满足那些条件的现象(至少是这些现象的某些重要方面)的前景丧失信心。但是,这却要求我们对长期以来一直被称之为物理学的标准方法做某种颠倒。在这里,我们在自己的演绎过程中无须遵循从假设或未知到已知和可观察的认识进路,而必须——正如在过去被人们视作是正常的方法——遵循从已知或熟知到未知的认识进路。当然,对于我们现在必须进行考察的那种方法来说,以上所述并不是一种完全令人满意的描述。但是,用已知或熟知去解释未知或新的东西这个古老的观念,却仍然要比我们从未知到已知的那种观念,更适合于这种方法。

四

当然,“解释”(explanation)[4]和“预测”(prediction)所指涉的并不是一项个别事件,而始终是某一特定种类或某一特定类别的现象。对于它们所指涉的任何特定现象,它们所陈述的始终只是这些现象的一部分属性而绝不是全部属性。再者,每一种得到陈述的属性并不是被表述为一种唯一的数值或量值,而是被表述为这种属性所归属的一个范围,而不论这个范围多么狭小。由于我们在测量所可能达到的精确程度的方面存在着局限性,所以上文所述即使对于物理学得出的最为准确的预测也是适用的。严格地讲,这些预测所能揭示的至多只是某个相关的量值将归属于某个特定的区间。显而易见的是,当有关预测并不是量化预测的时候,情形就更是如此了。

在日常情形中,我们一般都倾向于认为,只有那些对人所皆知的现象做出比较严格限定的陈述才算是预测;此外,我们还倾向于对诸如“明天 5 点 22 分 16 秒满月”这类“肯定性的”预测(positive predictions)与诸如“明天不会出现满月”这类仅属于否定性的预测(negative predictions)做出明确的界分。然而,这不过是一种程度的界分。有关我们在明确限定的时空区间内将发现什么或不会发现什么的任何陈述,都是一种预测,而且还可能特别有用:关于我在某次旅行中找不到水的信息,确实要比有关我将找到什么东西的大多数肯定性陈述重要得多。甚至对我们将发现的东西的任何一种具体属性都未做出任何说明而只是分别告诉我们将发现或 X,或 Y 或 Z 的那类陈述,也必须被视作是预测,而且也可能是极为重要的预测。如果一项陈述只是把所有可以想见的事件中的一种事件从有可能出现的那些事件的范围中排除了出去,那么它也同样是一种预测,而且其本身也是可以被证伪的。

五

一如我们所知,存在着这样一种复杂情形,而在这种情形中,观察只能够揭示出特别有限的常规性。当我们不得不面对这种情形的时候,而不论它属于物理学的“应用”分支学科，还是属于生物学或社会科学，我们一般都会追问这样一个问题：我们对这种复杂情形中起作用的各种力量或某些因素的属性所掌握的现有知识，能够在多大程度上解释我们所观察的现象。我们竭力想搞清楚的乃是这样一件事情，即我们是否能够通过演绎的方法从我们所掌握的有关某些相关因素在较为简单的条件下运作状况的知识中推演出这种解释。当然，我们根本就不可能有把握地说，我们有关那些力量在较为简单的条件下运作状况的知识也可以适用于更为复杂的情形。此外，我们也没有检验这种假设的直接手段，因为我们的困难恰恰就在于我们无力通过观察而探明并确定众多因素的存在和具体的分布，而我们知道，这些因素实是我们进行演绎推理的出发点。据此我们可以说，不论是这样一种假设（即有关我们所设定的那类因素是存在的假设），还是演绎推理的有效性，即使我们得出的结论没有被人们的观察所证实，亦无须被视作已经被证伪了。需要指出的是，尽管对这类复杂情形的观察并不能够决定我们的条件性（“假如—则”）陈述是否真实，但是它却能够帮助我们确定我们是否可以把这种条件性陈述视作是对我们所观察的事实的一种解释。

当然，如果我们能够极为精确地从我们的前提当中成功地演绎出复杂情形所具有的那些局部常规性并以此作为我们的出发点，那么这将是颇具意义的。需要强调指出的是，这却不会使我们的知识得到增进，尽管这有可能使我们获得一种满足感。然而，声称我们所观察的现象乃是由我们熟知的某些因素的特定组合所产生的那种断言，通常隐含着某些我们能够对其进行检验的结果，尽管我们没有能力直接对那种断言本身进行检验。我们认为致使受观察的现象得以产生的那种机制，能够产生某些进一步的结果而不是其他的结果。这意味着，如果我们从某些特定的复杂事件中观察到的东西是由那种假设的机制产生的,那么这些复杂事件还会具有某些其他的特征,但却肯定不可能有其他种类的表现。因此,我们做出的那种尝试性质的解释会告诉我们可以预期**哪些种类**的事件和不能预期哪些种类的事件。此外,如果我们所观察的现象表现出了那种假设的机制不可能产生的特征,那么这种尝试性质的解释便可以被证明是错误的。因此,通过揭示我们可以预期的现象的**范围**,这种尝试性质的解释可以为我们提供新的信息。通过为可能产生的结果提供一种图式或框架,它不仅有助于我们整理我们业已掌握的观察性知识(the observational knowledge),而且还可以为我们有可能从事的新观察活动提供适当的范围,并且为我们指出我们可以预期这种现象发生变化的方向或范围。由此可见,不仅我们所观察的事实是"有意义的"和"能够发挥各自作用的",而且我们还能够做出这样的预测:如果我们的解释是正确的,那么某些事件的组合就不会出现。

这种方法不同于那种所谓常规的物理学方法,因为在这里,我们并没有发明新的假设或构想,而只是从我们已经拥有的有关现象之某些要素的知识中选出了某些假设或构想。因此,我们并不会追问这样的问题:我们所采用的假设是否真实或我们选择的构想是否适当,而只会追问另外两个问题:第一,我们挑选出来的那些因素,是否真的存在于我们旨在解释的特定现象之中;第二,它们是否同我们所观察的现象相关,并且足以解释这些现象。对这两个问题的回答,将取决于我们所观察的现象是否属于这样一种现象,亦即根据我们的演绎,只要我们假设的那些因素确实存在,它们便会出现的那种现象。

六

在自然科学中,有关这种纯粹的"原则性解释"(explanation of the

principle)[5],人们最为熟知的事例极可能是那种有关不尽相同的有机体经由自然选择而进化的理论。这种理论既不旨在对特定事件做出具体的预测,也不是以下述意义上的那些假设为基础的,即作为这种理论出发点的若干陈述有望通过观察而得到证实或遭到否定。尽管,就像任何科学理论一样,这种进化理论也为自己划定了一个所要研究的事实范围(亦即它根据自己所"禁止"的其他事实而准许的那些事实),但是我们考察事实的目的并不是为了探明并确定作为该种理论之出发点的不尽相同的个别前提是否是真实的,而是为了检验某些明确无疑之前提的特定组合是否适于把已知的事实整理成一种有意义的状态,并且为了(从一定意义上讲这是一回事)说明为什么只有某些种类的事件是可以预期的,而其他种类的事件则是不能预期的。

不论我们倾向于把我们从中演绎出进化理论的那些个别前提称之为什么,它们实际上都是这样一种前提,亦即我们不会质疑其真实性的那种前提。此外,即使我们以集合的方式从这些前提当中得出的结论与观察的结果不相符合,我们也不会认为这些前提已经被否定了。我们可以通过把下述三个假设作为我们的出发点而在相当大的程度上做到这一点:(1)存活到生育期的有机体所生育的后代,其平均数要大于生育者自己的数量;(2)任何一种有机体一般只会生育出与自己相类似的有机体,但是这些新的个体与它们的父母又并不完全相似,而且它们所拥有的任何新的特性也都会依次遗传给它们的后代;(3)有些这样的突变会使那些受到影响的个体在生育后代方面的数率发生变化[6]。

几乎没有人会怀疑这些陈述的真实性,或者说,几乎没有人会认为进化理论的问题在于这些陈述是否真实的问题。这里的问题毋宁在于:这些陈述是否适于和足以对我们所观察的现象以及为什么其他现象没有出现的问题做出解释。我们希望知道的乃是这样一件事情，即这种具有遗传性变异和竞争性选择能力的重复机制能够产生什么结果；然而，如果我们想对这个问题做出回答，那么唯有通过演绎的手段以求探寻出这些假设的全部含义，我们才能够做到这一点。的确，我们会接受从这些前提中得出的结论并且把它们视作是一种令人满意的解释，然而这需要满足下述两个前提性条件：第一，它们能够使我们从它们当中推论出一种有可能产生我们所观察的现象的过程；第二，这种解释还能够对可能者与不可能者做出新的（尚未观察过的）界分，而这些新的界分在此后又被人们的观察所证实[7]。

在某些情况下，这种理论实际上并不可能产生任何新的结论，而只会给生物学家所拥有的“自然并不那样发生作用”的知识提供一种合理的基础而已。有人甚至认为，就自然选择的进化理论而言，人们对它提出的主要反对意见就在于人们无法证伪它，因为“指出任何可以明确证伪这种进化理论的生物现象似乎都是不可能的”[8]。这种反对意见只是在一种极为有限的意义上讲是有道理的。这种进化理论赖以产生的那些个别陈述确实不太可能被证伪。但是，有关人们观察到的物种的分化演变始终是因为这些因素的作用所致这个断言却是可以被驳倒的，比如说，如果人们观察到，在环境发生突变以后，那些存活下来的个体即刻就会开始生育那些拥有适应这种已经改变了的环境的新能力的后代，那么上述断言就可以被驳倒。此外，就此前陈述的前提所采取的形式而言，它们作为一种解释的适当性事实上也是不充分的，这可以经由某些种类的社会性昆虫（social insects）中无性别成员遗传其具体特性的方式得到证明。为了使这些情形得到解释，人们就必须扩大上述前提，进而使这些情形也含括在内——在这些情形中，不仅个体的特性,而且该群体中其他成员的特性也会对成功繁衍后代的机会产生影响。

在这里,我们还有必要进一步追问这样一个问题,即进化理论能够在多大程度上做出解释或预测,以及哪些因素使进化理论的解释或预测能力受到了限制。这种进化理论只能够解释或预测现象的种类,而这些种类也只是根据极为一般的特征来定义的:某些类型变化的出现——亦即并不是在一种狭义的时空内而是在一个极为宽大的范围内发生的变化,或者更为确切地说,在延续下来的有机体的结构中没有出现的其他类型的变化。因此颇为重要的是,在进化理论发展过程中出现的争论,在很大程度上并不是指向事实的,而是针对这样一些问题的,例如:先行假设的机制是否能够对可考察时间内发生的进化做出解释。再者,对这类问题的回答通常也不是源自新事实的发现,而是出自纯粹的演绎论证(比如说,遗传学的数理理论):“试验和观察很难跟上数理的选择理论的发展。”[9]如果我们能够用观察去检验这些演绎论证,那就更好了。如果我们得出结论认为,比如说,一种肤色与地面颜色无甚差异的老鼠不太可能被鹰捕获到,因此与肤色同地面颜色存在鲜明反差的老鼠相比较,前一种老鼠的数量也将得到更快的增加,最终还将在老鼠种群中占据支配地位,那么无疑可欲的是,我们应当有能力通过试验对这个结论加以证实(有论者已经做过这样的试验了)。这是因为我们至少可以做出这样的设想:这样一种趋势有可能被另一种趋势所抵消,比如说,由于一种老鼠常常死于鹰爪之下,所以这反而刺激了受到这种情形影响的鼠种的生殖能力(正如有论者曾经认为人类在战争时期的男婴出生比例会得到增加那样)。但是需要指出的是,即使在不可能通过试验对这些演绎结论直接加以证实的情况下,那么在这些演绎结论被证伪之前,我们仍然有理由接受它们。

七

我们所关注的这种解释,在晚近的讨论中常常被论者们称之为"模式建构"(model-building)。这种表达方式并不特别强调我们所关注的那种界分,因为即使是物理学中最为精准的预测也是以运用某种形式的"模式"或某种实质的"模式"(models of a formal or material kind)为基础的[10]。然而,如果"模式"这个术语旨在强调一种模式始终只能表示原型所具有的某些而并非全部特征(因此一架机器的精确复制品就不适合被称为一种模式),那么它就确实揭示了所有解释都拥有的一个重要特征——更为准确地说,所有的解释都拥有这种特征,只是拥有的程度极为不同而已。

这种程度的不同,可以经由物理学家常常以一种怀疑的态度去看待人们在生物学和社会科学中采用形式模式这个事实而得到很好的说明。对于物理学家来说,一种模式的价值(尤其是由一组方程式表示的一种数学模式的价值),通常在于这样一个事实,即物理学家能够探明并确定相关的变量并将它们代入该模式之中,进而可以从中推演出有待预测或解释的事件之数值。然而,在上文所述的其他学科当中,论者们也常常运用相似的模式,尽管他们事实上根本就无法探明并确定这些变量的数值,甚至将来都不可能探明并确定这些数值。需要指出的是,不论是否存在着这种可能性,也就是说,虽说这些模式不能够使我们预测出某个事件会在某个特定的时空中出现,但是我们依旧会认为这些模式有着解释价值。因此,我们需要追问的是,这些模式所具有的解释价值又何在呢?

从现在的情势来看,答案应当是显而易见的。任何模式都界定了该模式旨在表示的那类情形所能够产生的某个特定的现象范围。我们也许没有能力直接证实那种决定着有关现象的因果机制与该模式中的机制相同;然而我们知道,如果它们的机制相同,那么被观察的结构就肯定可以表现出某些种类的行动而无力表现出其他种类的行动。再者,如果并且只要被观察的现象存在于被认为可能的种种可能性的范围之内,亦即只要我们从该模式中推论出的预期没有遭到否定,那么我们就有充分的理由认为该模式把那种在较为复杂现象中发挥作用的原则揭示了出来。

就这些种类的模式而言,还有一个特殊问题值得我们注意:由于我们必须从我们所拥有的有关某些因素(亦即对这些现象具有作用的因素)的知识中演绎出我们的结论,又由于我们对于其他因素一无所知,所以我们的结论和预测也只能指涉由此产生的现象的某些特性。换言之,它们只能指涉某一种类的现象,而不是指涉某个特定的事件。严格地讲,一如我们所见,所有的解释、预测或模式实际上无一不是如此。然而需要指出的是,下述两种预测之间却显然存在着很大的差异:第一种预测是,一打开测量仪的开关,它的指针就会指向某个特定的数字;第二种预测是,马不会生育出有翅膀的马,或者如果法律确定了所有商品的价格而且后来又出现了需求的增加,那么人们在购买每一种商品的时候就不可能购买到与他们希望按照现行价格购买到的商品同样多的商品。

如果我们对一种由代数方程式或"命题性方程式"(propositional equations)系统组成的形式化模式进行考虑[11],那么我们就会发现,这种模式包含着若干有关一种关系结构的断言,即使我们不知道任何变量的值,而且我们对于那些出现在该关系结构中的函数的特点也只有最为一般的了解:它仍会把某些数值组合出现的可能性从该模式旨在表示的任何现象中排除出去[12]。它会告诉我们:第一,哪些变量组合会在任何时候出现;第二,当一个或若干变量的值为人们所知时,其他的变量会呈现出多大的值域。当然,由于我们能够用越来越多的明确数值代替那些变量,所以这个值域也会随之缩小,直至这一系统得以完全确定,并且只剩下一个变量的数值仍可能发生变化。

人们往往认识不到这样一个道理:第一,即使是最形式化的方程式系统也可以被用来进行预测,因而也会具有一定的经验内容(尽管这种内容颇为稀少);第二,这种方程式系统也可以为范围广泛的现象所具有的共同特征提供一种解释——或者为这种现象提供一种原则性解释。我们之所以需要强调这一点,实是因为普遍存在着这样一种错误观点,认为这类模式的价值完全是以我们具体阐明出现在这些模式中的变量之数值的能力为基础的,因此,只要我们做不到这一点,那么这些模式就是毫无作用的。然而事实并非如此:这类模式有着它们自身的价值,而不论它们在确定特定情形方面是否有作用,甚至当我们知道我们根本不可能拥有那种得以使确定特定情形成为可能的信息的时候,亦复如此。无论如何,这类模式仍然会告诉我们一些有关事实的信息,而且允许我们做出某些预测。

然而,正如有论者在讨论对自然所做的理论描述时所指出的那样[13],我们在任何领域中的目的都应当在于建构一些能够极容易得到人们"证伪"(falsified)的理论,这就是说,建构一些有着尽可能多的经验内容的理论;难道这一观点现在不是依然正确的吗?毋庸置疑,这对于人们不得不研究那些唯有通过高度复杂的陈述才能驳倒的理论来说实是一种障碍,因为根据那种观点,唯有未达到那种复杂程度的事情才会为我们的理论所接纳[14]。然而,在某些领域中,较为一般性的理论仍然有可能是更有用的理论,而且对它们所做的进一步的具体细化也是没有什么实际价值可言的。当我们在相当数量的情形中只能够观察到最为一般的模式的时候,那种试图通过进一步缩小我们论式的范围而使自己变得更为“科学”的努力,完全可能是徒劳无功的。在诸如经济学这样的一些学科中,力图达到这个目的的努力往往会促使人们提出某种不合理的常数假设,然而在这些学科中,我们实际上根本就没有理由把那些相关因素假设为常数。

八

显而易见,我们的结论特别适合于那些采用形式化的符号模式的学科(比如说数理生物学或数理经济学之类的学科),但是对于那些用日常语言加以表述的生物学理论和社会理论,我们的那些结论也是同样适用的。需要指出的是,尽管那种认为这些理论不能导使人们进行预测的观点也是不正确的,尽管这些理论的价值确实取决于它们做出的预测,但是我们却必须认识到,那些预测在性质上乃是与这个术语所通常意指的那种预测极为不同的,以至于不仅物理学家,就是普通百姓也不愿承认它们是预测。在很大程度上讲,它们乃是指某些事情不会发生的否定性预测(negative predictions),而且更是指这样或那样的现象不会同时发生的预测。这些理论为我们提供了一些现成的图式,它们告诉我们,当我们观察特定的现象模式的时候,我们可以预期发现某些特定的其他模式而非某些模式。这些图式将通过使已知的孤立事实开始具有意义的方式来证明它们自身的价值,而且它们还将发挥理论要求它们发挥的作用,仅此而已。从某些方面来看,这些理论似乎只是一些识别或分类图式,然而实际上,它们却是一些事先只为那些理论所允许出现的现象或现象组合做出规定的图式。它们指出了可以预期的现象范围:如果动物学的分类图式没有对长着两条腿以上的有翅类脊椎动物做出规定,那么这实是一种使这种有机体不可能出现的理论所导致的结果。如果经济学告诉我们,我们不可能在维持固定汇率的同时,随意通过改变货币数量的方式控制国内的价格水平,那么这样一种“预测”的特征便与前述事例中的预测基本相同。正是由于经济学的预测具有这种特征,所以经济学才常常只是由类似于“你不能既要吃饼又要保留饼”这一论题的说法或陈述组成的。的确,这种知识的实际价值主要在于它能够阻止我们去追求那些相互矛盾的目标。在很大程度上讲,其他理论社会科学(如理论人类学)中的情形亦复如此。它们实际告诉我们的是:第一,某些类型的制度是不会同时出现的;第二,由于某种制度是以人们所持的某种特定态度为前设的(而这种态度的存在常常是无法按照一种令人满意的方式加以证实的),所以唯有某种其他制度才可以在持有这种态度的人群当中被发现(这可以通过观察加以证实或否定)。

一如前述,这些理论能够使我们做出的预测有着明显的局限性,但是我们绝不应当把这种局限性与下述问题混为一谈:与那些能够使人们做出较为具体预测的理论相比较,它们是否更不确定。如果说它们是更不确定的,那也只是在它们对现象的解释较少并且留下了较多不确定的东西这个意义上所言的,而不是从它们的解释较不确定这个意义上来说的。就它们的解释有时候也会出现较不确定的情形而言,这实是由一个我们在本文中并不关注而且也是与本文所论不同的因素所导致的:当我们研究极其复杂的现象的时候,认识到该项理论旨在适用于的那些条件的存在,常常会要求我们事先就认知到某些模式或结构,而我们知道,要想认知到这些模式或结构,研究者必须拥有一种很少有人能够掌握的特殊技艺作为支援。因此,选择并运用适当的理论方案,在某种程度上讲乃是一种艺术,其成败与否根本就无法按照任何机械的标准加以确定[15]。在意义重大的关系方面拥有这样一种现成的模式,可以使我们对事件的表象形成一种认识,而这种认识将在我们观察环境的过程中为我们提供指导。但是,即使这种情况也只构成了相对于自然科学的一种程度上的区别,实际上,对许多手段的理解也要求观察者拥有极为特殊的技艺作为支撑,而且在检验它正确与否的方面,我们除了看大多数训练有素的观察者对它是否表示赞同以外,根本就没有其他的标准可以依循。

九

如果一种理论的作用并不是告诉我们在某个确定的时刻能够预期发生什么特定的事件,而只是告诉我们在一定的范围内能够预期发生什么种类的事件或某种类型的复杂现象,那么我们与其把这种理论称之为预测,还不如用"定向"(orientation)这个术语来指称它。尽管这种理论没有确切地告诉我们可以预期什么,但是它仍然能够使我们更加熟知我们周遭的世界,也能够使我们更有信心地在其间活动。这就是说,我们之所以不会感到失望,实是因为我们至少能够排除某些有可能发生的事件。此外,这种理论还会使我们周遭的世界变成一个更为有序的世界。事件在其间之所以会变得有意义,实是因为我们至少能够以一般的方式指出它们是如何结合在一起的,因而也有能力就这些事件勾画出一幅连贯一致的图景。尽管我们无力具体地阐明我们可以预期什么,甚或也无力一一列举出所有的可能性,但是每一个被观察到的模式都有着自身的意义,因为它限定了发生其他事情的可能性。

由此可见,当我们的预测仅限于意指那些有可能发生的事情所具有的一般属性(也许只是否定性的属性)的时候,我们显然无甚能力去控制事务发展的态势[16]。然而,有关什么种类的事件是可以预期的以及什么种类的事件是不可预期的那种知识,却会帮助我们使我们自己的行动变得更加有效。即使我们根本无法控制外部环境,我们也可以使我们的行动与这些外部环境相调适。有时候,尽管我们有可能无力产生我们希望看到的那些特定结果,但是有关事物之原理的知识(knowledge of the principle of the thing)却能够使各种情势变得更有利于我们所欲求的事件的发生。在我们能够实现的各种情势组合中可以预期发生的不同类型的事件当中,某些类型的事件比其他类型的事件更可能包含有某些可欲的结果。因此,一种原则性解释往往能够使我们创造出这样一类有利的情势,即使它不允许我们控制有关结果。就我们只受一种有关事物之原理的知识所指导的那些活动而言,我们也许最好用“培育”(cultivation)这个术语而不是用人们所熟知的“控制”一词来指称它们——所谓“培育”,乃是在农夫或园丁培育其植物这个意义上所言的。在农夫或园丁培育其植物的活动中,他只知道而且也只能够控制一部分起决定性作用的情势。在上述“培育”的活动中,明智的立法者或政治家很可能会去努力培育而不是去控制社会过程中的各种力量[17]。

需要指出的是,如果说我们在研究极为复杂的现象的时候必须在很大程度上依赖这样一些纯粹的原则性解释,那么我们也绝不能忽视与这种方法有关的一些弊端。由于这样的理论很难被驳倒,所以否弃那些低劣的对立理论也就是一件缓慢且渐进的工作——这与那些运用这些理论的论者所具有的论证技巧和说服力有着极为密切的关系。任何严格的实验都无法对这些理论的优劣做出裁定。当然,这里也存在着种种致使人们采取严重不负责任的行为的机会,因为一如我们所知,这里有可能存在着一些我们凭靠任何简单的检验工作都无法驳倒的夸夸其谈且阐释繁复的理论,而且我们也唯有依凭这个领域中同样极富才干的论者的良好感觉才能够做到这一点。这里甚至没有任何可以抵御纯粹江湖骗术的保障措施。对这些危险始终保持清醒的认识,很可能是唯一有效的预防措施。但是需要指出的是,试图通过举出其他科学在不同情形中所确立的范例来防止这种情况的发生,也是无济于事的。这些棘手的困难之所以会产生,并不是因为人们没有遵从较好的建议,而是因为某些学科有着难以驾驭的性质。那种宣称这些棘手的困难乃是因有关学科的不成熟所致的断言也是毫无根据的。如果有人认为本文所处理的只是那些学科在进步过程中的一种暂时且过渡的状态——这意味着它们迟早能够超越这个阶段,那么这些人便完全误解了本文的论点。上文所述的那种暂时且过渡的状态在某些情形中确实是可能的——但是需要强调指出的是,在某些领域中,我们有充分的理由相信:第一,这些局限乃是永久性的;第二,原则性解释仍将是我们在这些领域所能够取得的最好结果;第三,这种学科的性质使我们永远都不可能提出能够使我们做出具体预测的详尽解释(explanation of detail)。一如前述,在这些领域中,我们只能够获致这样的知识,因此对这种知识采取不予信任的态度也肯定是于事无补的。

的确,随着某些学科在进步的过程中一点一点地深入到较为复杂的现象之中,那些只能够提供原则性解释的理论或者那些只能够描述某些类型的结构所能够产生的现象之范围的理论,极可能成为一种常规现象而不再是什么例外情形;这种发展趋势并不是不可能的。近年来的某些发展趋势,比如说控制论、自动装置或机制理论、一般系统论,也许还有交往理论,似乎都属于以上所述的范畴。我们越是进入极其复杂的领域,我们的知识也就越是有可能只具有原则的性质,亦即越是有可能只具有重大意义之概述的性质,而不是详尽解释。特别需要指出的是,当我们不得不处理极其复杂的人类事务的时候,想对特定事件做出具体预测的那种希望似乎是极其自负且愚蠢的。一个人的大脑显然不可能详尽说明“一个由无数成员和各种潜在思维方式组成的社会所释放出来的那种行为方式、感情方式和思维方式”,而套用一位杰出的人类学家的话来说,这正是文化的本质之所在[18]。

当然,我们不可能在本文中探究这样一个问题:我们在上文中对那些一开始就必须去处理相对复杂的现象的学科所提出的看法,是否就不能渐渐地适用于那种至少能够以较为简单的现象作为其出发点的学科。这就是说,如果那种学科——即使是物理学——不再把若干相关的事件视作是一个个封闭系统,同时按照一种使它必须从相互关系的角度来界定其术语的方式进行发展,进而唯有作为一个整体的理论体系而不再是它的一部分才能够得到真正的证伪[19],那么它是否就不可能越来越多地碰到我们在生物学和社会科学中所熟知的那些困难呢?这意味着:第一,由于学科论题之性质的缘故,物理学只会在一个较晚的阶段才可能碰到其他学科在较早的时候已经遭遇到的那些困难;第二,其他学科根本就不可能在这个方面从物理学那里学到什么东西,因为这些学科在此之前就已经用了很长的时间去努力解决物理学家只会在其学科发展的后期阶段才可能遇到的那类问题。

最后,我们也许还应当强调指出,在上述两种方法之间根本就不存在什么竞争的问题,一是因为我们称之为原则性解释的方法始终只能够为我们提供一项充分解释(a full explanation)所能够提供的信息当中的一部分信息;二是因为从这个意义上讲,原则性解释乃是一种较弱的工具。但是值得我们注意的是,从原则性解释这种方法能够被适用于其他方法暂时或永远无法得到适用的那些领域的意义上讲,它又是一种较强的工具。尽管科学家有时候说起话来使人感到好像根本就不可能存在他们所说的常规科学方法不能被适用的领域(亦即我们不可能指望通过观察而建立起复杂现象之法则的领域),但是只要人们考虑一下这种观点实际上意味着人的心智肯定有能力处理任何可以想见之复杂程度的现象所具有的全部细节,那么我想也就不会有什么人再一本正经地坚持这种观点了。如果我们所考虑的只是狭义上的物理世界,那么上述观点也许还有些道理,然而当我们所考虑的是生物现象的时候,上述观点就会变得极有疑问了;而当我们所必须处理的乃是人类自身的某些活动的时候,上述观点则肯定是错误的。一如我们所知,在一些领域中,我们的研究对象、我们研究和交流成果所诉诸的手段(亦即我们的思想、语言以及人与人之间进行交流的整个机制)乃是部分相同的,因此在讨论一个事件系统的同时,我们也必定是在该系统中活动的;的确,尤其是在这样的领域当中,我们所能够获得的知识极可能存在着相当明确的限度。唯有对存在于下述两种情形之间的那种关系进行研究,我们才可能探明并确定上述限度:一是在一个特定的系统之内我们所能够说的事情,另一是关于那个系统我们所能够说的事情。为了理解这些问题,事实有可能证明我们必须刻意地培育和发展原则性解释的手段,亦即按照大大简化了的模式再现一种原则的手段。就这些问题而言,系统地采用这种手段,极可能被证明是我们获致明确知识——尤其是有关我们的思想在能够达致结果的方面存在着种种限度的明确知识——的不二法门。

【注释】

[1] 当然,现代物理学也诉诸统计学手段去处理那些包含有许多变量的系统,但是

在我看来,这与本文的讨论并不矛盾。统计学手段实际上是一种使分立实体——它们乃是经由必须给出陈述的法则而联系在一起的——的数量相对减少(即统计学中的集)的方式,而不是一种处理大量有效的独立变量——例如社会秩序中的个人——间相互作用的方法。下文讨论所指涉的那些复杂性问题,也就是 Warren Weaver 称为"有机复杂的问题",它们不同于我们可以用统计学方法进行处理的那种"无机复杂的问题"。参见 Warren Weaver,"Science and Complexity",*American Scientist*,1948,以及他现在对自己观点所做的一个更为详尽的阐释,"A Quarter Century in the Natural Sciences",*The Rockefeller Foundation Annual Report*,1958,pp. 1 ~ 15。

[2]尽管波普尔教授在新近出版的一些论著(*The Poverty of Historicism*,London,1957,尤其是第十一和十二节,以及 *The Open Society*,1950)中在某些特定问题上改进了他的表述方式,但是从更为详尽的阐释来考虑,我们仍有必要求诸他的 *The Logic of Scientific Discovery*(英译本:London,1959,德文原版:Vienna,1935)。从许多方面来看,由此导出的相关讨论在很大程度上讲只是对波普尔某些理念所做的一种详尽阐释,尤其是对他关于可检验程度的理念和他关于证伪标准"相对化"的理念所做的一种详尽阐释。因此,我的批判所指向的只是人们对"假设—演绎"命题所做的某些实证主义的和操作主义的解释,而不是指向波普尔的观点或与其相类似的观点的。

[3] 现在可以参见 Sir Karl Popper 的论著:*Conjectures and Refutations*,London,1963,尤见 p. 63:"科学解释就是……把已知化约成未知。"另见该著作 pp. 102 and 174。

[4] 我认为,某些早期的实证主义者对"解释"(explanation)一词的偏见已成为过去的事情了,因此我们可以理所当然地认为,预测和解释只是同一个过程的两个方面而已:就预测而言,人们采用已知的规则以求从已知的事实中推论出此后会发生什么;而就解释而言,人们采用这些已知规则以求从已知的事实中推论

出先于它们的是什么。根据本文的论旨,如果我们在本文中始终用“预测的程度”来取代“解释的程度”,实际上也没有什么重要的区别。参见 K. R. Popper, *The Open Society*,1950,p. 446。

[5]虽然论者很少对这个术语进行界定,但是生物学领域中的理论讨论当中,却有大量的陈述受到“从原则上讲”(in principle)这一附加语的限定,比如说“原则上可以具体说明的”“从原则上讲可以宣称的”“这样一种化约从原则上讲是可能的”等等。参见 A. S. Sommerhoff,*Analyical Biology*,London,1950,pp. iv,v,27,30,180。

[6] 对这些基本假设的列举,见 J. S. Huxley,*Evolution*,London,1942,p. 14。

[7]论者们就这个领域中的理论与观察之间的关系问题进行了讨论,其间有一种极其简洁且可以广泛适用的陈述,见 G. S. Carter,*Animal Evolution*,London,1951,p. 9:“古生物学家也许有能力因为某些进化理论要求与事实不相符合的变化而否弃它们。就本世纪初(指20世纪初——编者注)孟德尔遗传理论的早期形式而言,他们宣称自己有能力做到这一点……古生物学在研究进化中的作用,类似于自然选择在进化过程中的作用。它有助于祛除无效的观点,但它本身却不能创立新的有效的观点。”另请参见 Popper 前引书:*The Poverty of Historicism*。

[8] L. von Bertalanffy,*Problems of Life* ,New York,1952,p. 89.

[9] L. von Bertalanffy,上引书,p. 83。

[10]参见 A. Rosenblueth and N. Wiener,“The Role of Models in Science”,*Philosophy of Science*. 1945,12,317:“实质性模式乃是用一个被假定为较简单的系统(因此也被假定为具有某些与为了研究原始的复杂系统而挑选出来的那些属性相似的属性的系统)来说明一个复杂的系统。形式性模式乃是以逻辑的方式对一个理想化的相对简单的情形(亦即那种表现出原始的事实性系统所具有的结构特性的情形)所做的一种象征性表述。”关于此后的讨论,亦可参见 K. W. Deutsch,“Mechanism, Organism, and Society”, *Philosophy of Science*, 1951, 18,

3;"Mechanism, Teleology, and Mind", *Philosophy and Phenomenological Research*, 1952, 12, 185。

[11] 比如说命题性函数,对于其中的变量,我们只会接受那些使那些命题为真的值。参见 K. R. Popper, *Logic of Scientific Discovery*, p. 13。

[12] K. R. Popper,上引书。"即使方程式系统没有能力提供一种唯一的解式,那么它也不会允许人们用任何一种可以想见的数值组合代替'未知数'(变量)。更为确切地说,这种方程式系统明确指出了某些特定的数值组合或数值系统是可以接受的。"

[13] K. R. Popper,上引书,p. 68。

[14] K. R. Popper,上引书,p. 127。

[15] 我们也许应当在这里指出,我们在这里所讨论的,当然不是自然科学与社会科学之间的唯一差异,而毋宁是社会科学与那些研究比较复杂的现象的自然科学共同具有的一种特点。社会科学所具有的另一个可能更为重要的特点是由这样一个事实造成的:就此而言,对不同种类的事实的认识,在很大程度上取决于观察者与被观察者之间的相似性。关于这个问题,请参见拙文:"Rules, Perception and Intelligibility",载 *Studies in Philosophy, Politics and Economics*, The University of Chicago Press, 1967, cha., 3。

[16] 显而易见,我们在没有能力施以控制的情况下仍有可能做出准确的预测,但是值得注意的是,我们控制事物发展的能力,显然无法超出我们预测自己行动之结果的能力。因此,预测的限度意味着控制的限度,反之却不尽然。

[17] 由于版面的缘故,正文自此以下的文字在本文初次发表的时候被删去而未得到发表。

[18] A. L. Kroeber, *The Nature of Culture*, Chicago University press, 1952.

[19] 参见拙著:*The Sensory Order*, London, 1952, pp. 170 以次。

复杂现象理论[*][**]

一、模式认知与模式预测

人类因好奇心和需要而从事科学研究。就好奇心和需要而言，前者具有的丰富性和创生力始终是后者所无法比拟的。这是有充分理由的。大凡我们感到好奇的时候，我们便会萌生出相关的问题。但是需要指出的是，不论我们多么急切地想从那种看似混乱不堪的局面当中找到一条出路，只要我们不知道我们要寻找的是什么东西，那么即使对简单明了的事实做最专注且持之不懈的观察，也是无法使这些事实变得更易于理解的。切实把握事实，固然十分重要，但是唯有在提出问题以后，我们才能够着手进行系统

---

* 本文译自哈耶克著：*Studies in Philosophy, Politics and Economics*, The University of Chicago Press, 1967, pp. 22 ~ 42。

** 原载 *The Critical Approach to Science and Philosophy: Essays in Honor of K. R. Popper*, ed. M. Bunge, New York (The Free Press), 1964。该文发表的时候用的是我(哈耶克)在1961年12月完成的手稿，而且我本人也没有看校订稿(除了编辑做的若干文字校订以外)。现在，我想利用这次机会把我原来想加进校订稿中的某些参考文献补充进去。

的观察。在我们提出明确的问题之前，我们根本就无力运用我们自己的智识；而提出问题的前提则是，我们已经对相关的事件形成了某种临时性的假设或理论（provisional hypothesis or theory）[1]。

只是在我们的感官先觉察到事件中反复出现的某种模式或秩序以后，问题才会产生。正是我们一再觉察到某种常规性（或反复出现的模式或秩序），亦即一再觉察到不同情势中所存在的某种相似的特征，才使我们产生了好奇心，进而提出了"为什么会这样"的问题[2]。我们的心智是这样构造的：当我们在纷繁杂乱的情势中注意到这种常规性的时候，我们会猜想其间一定存在着一股相同的力量，并由此萌发出一种要发现这种力量的好奇心。坦率地说，我们对自己的环境所获致的所有认识和控制力，都需归功于我们心智的这一特性。

许多这样的自然常规性都是由我们的感官"直觉地"认识到的。实际上，根本就无须诉诸我们的智力，我们就能够看到和听到诸多模式，其数量甚至可以说与个别事件一样多。当然，在许多情况下，这些模式大多是我们视为当然的环境中的一部分，因此它们不会引发问题。但是，当我们的感官向我们展示出新的模式的时候，这就会引起我们的惊奇并使我们感到有问题。我们认为，科学就起源于这种好奇心。

需要指出的是，尽管我们的感官对这种模式认知（pattern recognition）的直觉能力极为神奇，但是它仍然有着自身的局限性[3]。我们的感官所能够觉察到的仅仅是某些种类的常规性安排（当然未必是最简单的安排）。就许多自然模式而言，**只有在**我们的心智把它们建构起来**以后**，我们才能够发现它们。系统建构这类新模式的工作乃是数学的使命之所在[4]。在这个方面，几何学在建构某些视觉模式方面所发挥的作用，只不过是一个最为人们熟知的事例而已。数学的巨大力量在于:它能够使我们描述出我们的感官无法认知到的那些抽象模式(abstract patterns),而且还能够使我们陈述出某些高度抽象的模式等级或类别所具有的共同属性。在这个意义上讲,每一种代数方程或每一组这样的代数方程都界定了一类模式:当我们用明确的数值取代了其间的变量的时候,这种模式的个别表现也就得到了详尽的揭示。

很可能是由于我们的感官能够自动地认识到某些种类的模式,所以一些人也就形成了一种错误的看法:只要我们观察的时间足够长,或者观察的自然事件之事例足够多,那么某种模式就总是会显现出来的。尽管实际情形常常如此,但是这仅仅意味着在那些情形中,理论化的工作已经由我们的感官完成了。然而,当我们必须考虑这样一类模式——它们的提出是没有生物学依据的时候,我们就必须首先发明出一种模式,然后我们才能够在现象中发现它的存在,或者说,我们才能够检测这种模式是否能够适用于我们所观察的现象。一种理论始终只能界定一种(或一类)模式,而人们所期望的那种模式的特定表现形式却还要取决于特定的情势[亦即"原初的和边际性的条件",而鉴于本文的论旨,我们将把这些条件称之为"基据"(data)]。我们实际的预测能力有多大,将取决于我们能够探明并确定(ascertain)多少这样的基据。

理论对模式的描述,通常情况下仅仅被人们视作是一种能够使我们对某种将在具体情势中出现的模式之特定表现形式做出预测的工具。但是需要指出的是,有关某种类型的模式将在某些一般条件下出现的预测,也是一种颇有意义的(而且是可以证伪的)预测。如果我告诉某人,若他到我的书房去,他就会看到那里有一块由菱形和花边组成图案的小地毯,那么他很容易就能够判定"这项预测,从结果来看,是真还是伪"[5],即使我一点都没有提到构成这块小地毯图案的位置、尺寸、颜色等因素。

对下述两种预测做出明确的界分,即使在自然科学中有时候也是相当重要的:一是对某种类型的模式会出现所做的预测,另一是对这类模式的一个特定事例会出现所做的预测。如果一位矿物学家宣称某种矿物晶体是六边形的,如果一位天文学家认为某个处于另一天体之磁力场中的天体的运行轨道相当于一条圆锥曲线,那么他们所做出的预测乃是一种可以被反驳的有意义的预测。但是一般而言,自然科学却倾向于假定,对它们的预测做出任何所需程度的详尽说明,在原则上讲始终是可能的[6]。需要指出的是,当我们从自然科学所研究的比较简单的现象转向那些并不总是能够做出这种详尽说明的更为复杂的生命现象、心智现象和社会现象的时候,上述界分也就具有了更为重要的意义[7]。

二、复杂的程度

当人们把简单和复杂的界分应用于各种陈述的时候,这种界分便在哲学层面上造成了相当棘手的问题。但是,衡量不同种类的抽象模式的复杂程度,却似乎有一种相当简单且适当的方法。一种模式为了展示该类模式的所有特征而必须具备的最少数量的要素,似乎为我们提供了一项明确无误的标准。

长期以来,人们时不时地会怀疑,生命现象、心智现象和社会现象是否就真的比自然世界中的现象更复杂[8]。人们之所以有这样的疑问,在很大程度上讲是因为他们混淆了下述两种复杂程度所致:一是某个特殊**种类**的现象所特有的那种复杂程度;二是任何种类的现象经由要素的组合而能够达致的那种复杂程度。当然,自然现象可以按照这种方式达致任何复杂的程度。但是,当我们从一个公式或模型为了重现不同领域中典型的结构模式(或者为了重现这些结构所遵循的一般规律)而必须具备的最少数量的独特变量这个角度来考虑问题的时候,复杂程度也会伴随着我们从无生物现象领域进入("有机程度较高的")生物现象和社会现象的领域而得到相当明显的增加。

的确,从这个条件来看,亦即从独特变量之数量这个条件来看,当我们认真观察一组表示物理规律尤其是机械规律的公式的时候,所有这些规律都显得十分简单,而且简单到了令人吃惊的地步[9]。然而从另一个角度来看,为了对那些甚至像反馈(或控制论)系统这类比较简单的生物现象的构成因素——其间,某种特定的物理结构组合会产生一种具有独特特性的整体性结构——进行描述,也需要有比描述一般的机械规律更为精致的方法作为支撑。事实上,当我们向自己提出这样的问题即我们应当根据什么样的标准才能辨识出某些现象是"机械"现象或某些现象是"物理"现象的时候,我们很可能会发现,从人们所界定的意义来看,这些规律是颇为简单的。非物理现象之所以更为复杂,实是因为我们把那些可以用相对简单的公式加以描述的现象称为物理现象所致。

一如我们所知,简单关系存在于其间的要素的数量的增加,会导致"新"模式的"出现"。这意味着这个较大的结构作为一个整体会具有某些一般的或抽象的特征:只要一般性结构(比如说由一个代数方程式所描述的那种结构)得到维续,那么这些一般的或抽象的特征就会独立于个别基据的特定数值而反复出现[10]。这类根据其结构所具有的某些一般属性而被界定成的"整体"(wholes),会成为理论解释的独特对象,即使这种理论有可能只是把有关个别要素间关系的陈述组合起来的一种方式。

值得我们注意的是,主要从这类结构是“开放”系统(open system)还是“封闭”系统(closed system)的角度来认识这项工作,多多少少会产生一些误导作用。严格地讲,宇宙中根本就不存在任何封闭系统。我们所能追问的只是这样一个问题,即在特定情形中,宇宙中的其他部分据之作用于我们试图辨识的那个系统的接触点(对于理论来说,这些接触点还构成了研究的基据)是多还是少。这些决定着理论所描述的那种模式在给定情势中所呈现的特定形式的基据或变量,其数量在复杂整体中要比在简单现象中更多,因而也就更难探明和更难控制。

我们选择出来作为“整体”的那些现象,或者在我们划定“分界线”的时候[11],乃是由这样一种考虑决定的:按照这种方式,我们能否把我们在生活世界中实际遇到的那些反复出现的、独特种类的、前后一贯的结构的模式分离出来。我们可以想见的而且也可能会反复出现的复杂模式确实有许多,然而我们却会认为不值得去建构它们。详尽阐释和研究某一特定种类的模式是否有用,将取决于这种努力所描述的那种结构是持久的还是偶然发生的。我们主要关注的前后一贯的结构,乃是这样一些结构:在这类结构中,一种复杂模式会产生某些能够使表现出这种模式的结构得以自我维续的特性。

三、基据不完全情况下的模式预测

为了形成某一特定种类的复杂现象,我们就必须以独特要素的多样性作为前提,即使是最少数量的独特要素也必须是多样的。因此,为了对某一特定种类的复杂秩序做出解释,我们也必须以最少数量的基据的多样性作为前提。这种情况产生了许多可以说支配着研究这类复杂现象的学科的问题,并且使这些学科看上去截然不同于那些研究较为简单的现象的学科。据此我们可以说,那些研究复杂现象的学科中的主要困难也就变成了这样一种困难,亦即人们在探明并确定所有决定着相关现象之特定表现形式的基据方面的实际困难;这种困难在实践中往往是无法克服的,有时候甚至还是一种绝对的困难[12]。那些主要关注简单现象的人士往往倾向于认为:第一,当出现这种困难的时候,理论是无所作为的;第二,科学方法要求我们发现一种足够简单的理论,从而使我们能够从中推论出有关特定事件的预测。在他们看来,这种理论,亦即有关模式的知识,不过是一种工具而已,它的作用完全取决于我们是否有能力把它变成一种对那些会产生某种特定事件的情势的解释。就研究简单现象的理论而言,这种观点在很大程度上是有道理的[13]。

然而我们却没有理由认为,我们始终都能够发现这类简单的常规性。而且我们也毫无理由认为,物理学之所以更为先进,就是因为它成功地做到了这一点,而其他的学科门派还无法做到这一点。不过事实可能正相反:物理学之所以取得了成功,实是因为它处理的乃是我们所谓的简单现象。但是,一种研究那些在本质上极为复杂的现象(或者一种必须处理"有机程度较高的现象"的理论——如果这一说法更可取的话)的简单理论,很可能只是一种必定会发生错误的理论——至少在没有做出其他条件保持不变之明确假设的情况下是如此。此外,在对这些条件做出充分陈述以后,这种简单理论也就不再是什么简单的理论了。

需要指出的是,我们所关注的不只是个别事件,也不只是那些能够从经验上加以检测的对个别事件的预测。我们还同样关注抽象模式本身的再现问题。有关某一特定种类的模式将在规定的条件下出现的预测,乃是一种可以证伪的因而是一种经验的陈述。有关某一特定种类的模式据以出现的条件的知识,以及有关什么事情将取决于这种模式之维续的知识,也许有着特别重要的实践意义。致使理论描述的那种模式得以出现的条件或环境,乃是由一定值域的、可以被用来替代方程式中的变量的数值所规定的。因此,为了使这样一种理论适用于某种情形,我们所需要知道的只是那些具有某些一般属性的基据(或者是那些由变量范围所界定的类型的基据)。除此之外,只要我们满足于推论出将会出现的模式的类别而不是该种模式的特定表现形式,那么我们也就无须知道这些模式的各自属性了。

由于我们实际上没有能力用特定数值取代变量,所以这样一种注定属于“代数性质的”理论(algebraic theory)[14]也就绝不可能是一种纯粹的工具,而是我们理论努力的一种最终结果。当然,套用波普尔的话来说[15],这样一种理论乃是一种甚少经验内容的理论,因为它使我们能够做出预测或解释的只是一种与众多特定情势相符合的情形所具有的某些一般性特征。它也许只能够使我们做出斯克里温(M. Scriven)所称之为的那些“假设性的预测”(hypothetical predictions)[16],亦即那些受着尚不为人知的未来事件制约的预测。无论如何,由于与这种预测相一致的现象的范围相当大,所以证伪这种预测的可能性也就相应减小了。但是需要指出的是,由于在许多领域中,从目前的情势来看(甚或永远都是如此),这将是我们所能够取得的全部理论知识,所以它仍将扩大科学知识有可能取得进步的范围。

由此可见,科学的进步必须从下述两个不同的方向上展开,使我们的理论尽可能具有可证伪性肯定是极为可欲的,然而我们也必须同时进入这样一些领域,随着我们的深入,可证伪的程度必定会相应减少。这便是我们努力进入复杂现象领域而不得不付出的代价。

四、统计学在处理模式复杂性的方面无能为力

在我们进一步说明“代数性质的”理论（亦即仅仅对有着高度概括性的一般特征做出描述的理论）所提供的那些纯粹的“原则性解释”[17]的作用以前，以及在我们讨论我们因洞见到可能的知识边界（我们乃是在上述界分的情况下才获致这种洞见的）而得出的那些重要结论以前，我们有必要先对一种方法做些讨论，因为人们常常错误地认为，这种方法可以增进我们对复杂现象的理解；而这种方法就是统计学方法。由于统计学的目的在于处理大量的数据，所以人们往往认为，由构成复杂结构的大量要素而产生的那种困难，可以经由诉诸统计学的方法而得到克服。

然而，从本质上说，统计学乃是通过下述两种做法来处理大量数据这个问题的：第一，化复杂为简单；第二，有意把它所计算的个别要素看成是毫无系统联系的孤立要素予以对待。统计学通过用有关个别要素之不同特性的出现频率（即以要素类别的形式出现的频率）的信息取代有关个别要素的信息这种方式来避开复杂性的问题。此外，它还故意不考虑这样一个事实，即不同的要素在一个结构中所占据的相对位置也会产生一定的作用。换言之，统计学的研究乃是以这样一种假设为出发点的，即有关一个集（a collective）中不同要素之出现频率的信息足以解释这类现象，因此有关这些要素相互联系的方式的信息也就毫无必要了。由此可见，只有当我们或者有意忽略或者不知道那些具有不同特性的个别要素之间的关系的时候，也就是说，只有当不考虑或不知道它们所组成的任何结构的时候，统计学方法才是有用的。在这种情况下，统计学能够使我们通过用单一特性取代一个

集内那些无法探明并确定的个别特性而变复杂为简单并且使研究工作变得易于操控。然而需要指出的是,也正是基于这个原因,统计学实是与解决这样一些问题毫不相干的,因为在这些问题当中,重要的乃是那些具有不同特性的个别要素之间所存在的各种关系。

当我们掌握了有关许多相同种类的复杂结构的信息的时候,也就是说,当复杂现象而不是构成这些复杂现象的要素可以成为统计集的要素的时候,统计学对于我们在这个方面的研究还是能够提供帮助的。比如说,统计学可以为我们提供这样的信息,亦即有关复杂结构——例如有机体物种的成员——的特定属性集合出现的相对频率的信息。但是统计学却依旧是以这样一种前设为基础的:我们在识别这类结构的方面有着一种独立的标准。当我们掌握了有关属于同一类动物、同一类语言或同一类经济制度的许多个体之特性的统计数据的时候,从科学的角度来看,这确实是特别重要的信息[18]。

然而,甚至在这种情况下,统计学对于解释复杂现象来说也贡献甚微。只要我们想象一下这种情况(即计算机乃是我们所发现的并且想对其运行做出预测的无数的自然之物当中的一种),我们就可以清楚地认识到这一点。显而易见,除非我们掌握了设置在计算机里面的数学知识,也就是说,除非我们知道了决定这些计算机结构的理论,否则我们根本就不可能成功地预测出计算机的运行状况。任何数量的有关投入产出之相互关系的统计学信息,都不可能使我们更接近我们的目标。然而,当前在我们称为有机体的较为复杂的结构方面所做出的大规模的努力,实际上都属于这种性质的努力。那种认为在这种情形中无须拥有适当的理论,而只需按照上述方式就一定能够发现投入产出关系中的常规性的观点,在我看来,甚至要比上述计算机的事例更无益、也更幼稚[19]。

当这些复杂现象乃是人口中各种因素——我们掌握了这方面的信息——的时候,统计学能够成功地处理这些复杂的现象,但是它却无力告诉我们任何有关这些因素之结构的道理。套用时下的话说,统计学只是把它们视作“黑箱”(black boxes),认为它们属于同一种类,但却无力论涉它们各自具有的独特特征。很可能不会有人一本正经地宣称说,统计学能够解释那些并不特别复杂的有机分子的结构(当然,这种复杂性是相对而言的);同样,甚少有人会认为,统计学能够帮助我们解释有机体的功能。但是,当统计学试图说明社会结构的功能的时候,人们却广泛地认为统计学有能力做到这一点。当然,这在很大程度上是因为人们错误地理解了研究社会现象的理论的目的造成的;然而,这却是另一个问题。

五、模式预测的一项事例:进化理论

就说明这种具有巨大价值的复杂现象理论(a theory of complex phenomena)而言,最佳的事例很可能是达尔文的自然选择进化理论(the Darwinian theory of evolution by natural selection),尽管它所描述的只是一种我们永远都无法探明其细节的一般性模式。颇为重要的是,这种进化理论始终是那种占据支配地位的科学方法观念的障碍物。这种理论肯定不符合作为科学方法之核心特征的“预测和控制”(prediction and control)这一正统标准[20]。但是毋庸置疑的是,这种理论已然成功地构成了大部分现代生物学的基础。

在我们对这种理论的特点进行检视以前,我们有必要先对人们就它的内容所广泛持有的一种误解做出澄清。一如我们所知,人们常常认为这种理论乃是由一种宣称特定的有机物种会发生彼此逐渐演化的演替过程的断言组成的。然而,这并不是进化理论,而是把这种理论应用于过去两百多万年里发生在地球上的特定事件的一种尝试[21]。大多数对进化理论的错误应用(特别是在人类学和其他社会科学中的错误应用)以及各种滥用(比如说在伦理学中的滥用),都是由人们对它的内容所做的这种错误解释造成的。

自然选择的进化理论所描述的乃是这样一种过程(或机制):第一,它出现在地球上的特定情势之中,然而又独立于这些情势;第二,它可以同样适用于出现在极为不同情势中的事件过程;第三,它还可以产生一组截然不同的有机体。这一理论的基本观念极其简单,而且也只是在把它应用于具体情势的时候,它才会凸显出它所具有的不同寻常的解释力以及它所能够解释的现象之范围[22]。这一具有广泛意义的基本观念认为,一种具有遗传变异因素的重复机械以及对那些被证明有更佳生存机会的变异因素进行竞争性选择的机制,随着时间的推移,会产生大量且种类不同的结构,以适合于对环境以及对它们彼此做出持续不断的调适。这个一般性观念的有效性,并不取决于最初构成这个观念的那些具体应用的正确性:例如,尽管人与猿在结构上存在着相似性,但是假如事实证明,他们并不是一个比较相近的共同祖先的共同后代,而是起源于相互之间极其不同的祖先的两个趋同过程的产物(正如外表极其相似的有袋目食肉动物与胎盘类食肉动物这两种类型的情形一般),那么这种情况所能够驳倒的并不是达尔文的一般进化理论,而只是把它应用于特定情形的那种方式。

与所有的理论一样,这种进化理论本身所描述的也只是可能之事的范围。在进行描述的时候,这种理论排除了某些其他可以想见的事件过程,因此它是可以被证伪的。它的经验内容是否能够成立,取决于它是否与它所排除的现象相符合[23]。只有当我们应当观察的一种事件序列无法与它的模式相符合的时候——比如说,马突然开始繁殖长有双翼的小马,或者在数代的过程中不断砍去狗的后爪会使此后生下来的狗没有后爪,我们才可以认为这一理论遭到了否定[24]。

毋庸置疑,能够被这一理论作为研究对象的事件的范围是极其广泛的。然而,人们也可以认为,只是我们的想象力有限,才使得我们无法更明确地认识到被排除在外的事件的范围究竟有多广泛——实际上,正是进化理论,才使得我们知道了这样一个道理,即那些在可见的未来并不会出现在地球上的可以想见的有机体形式的种类乃是无限的。常识早就告诉我们,不要期待会出现与我们在过去所知道的事情极其不同的任何事情。但是,究竟哪些种类的变异是可能的,而哪些种类的变异是不可能的,对此只有进化理论能够告诉我们。尽管我们可能没有能力开列出一份能够穷尽各种可能性的目录,但是从理论上讲,我们却有能力回答任何具体的问题。

根据本文讨论的宗旨,我们可以不考虑这样一个事实:从某个方面来讲,进化理论仍然不是全涉的,因为依据这种理论,我们依旧无法了解突变机制(the mechanism of mutation)。当然,我们可以做出这样的假设:第一,我们确切地知道某种特定的突变得以发生的各种情势(或至少在给定的条件下它得以发生的概率);第二,我们也同样知道任何这种突变在任何特定环境中赋予某个具体构成的个体的具体优势。然而,这依旧无法使我们对现存的物种或有机体为什么会具有它们所拥有的特定结构做出解释,也无法使我们对它们还会产生什么样的新形式做出预测。

进化理论之所以不是全涉的,乃是因为要想探明两百万年过程中决定着现存形式出现的那些特定情势,甚或要想探明未来几百年中将决定生存者的那些特定情势,实际上是不可能的。即使我们力图把我们的解释方案适用于某个单一的物种——这种物种乃是由已知数量的个体构成的(我们也能够对其一一进行观察),而且假定我们也能够探明并记载下每一个相关的事实,我们还是无法计算出它们的数量的,这就是说,我们无力把这些基据填入我们理论公式的适当位置之中,进而解答以这种方式确定下来的"陈述性方程式"(statement equations)[25]。

我们关于进化理论的讨论,也同样适用于生物学中大多数其他的理论。对有机体的生长和功能的理论认识,只是在最为罕见的情形中,才可能转换成对某一特定情形中会发生什么事情的预测,因为我们几乎不可能探明所有有助于决定结果的事实。据此我们可以说,"通常被视作是科学之基本标准的预测和控制,在生物学中是不怎么可靠的"[26]。它所处理的乃是各种形成模式的力量,因此有关这些力量的知识对于创造一些有助于产生某些种类的结果的条件是非常有用的。但是需要指出的是,这种知识只是在比较罕见的情形中才可能控制所有的相关情势。

六、社会结构的理论

现在,我们应当很容易就能够认识到这样一个道理:在我们用理论来解释心智和社会现象的方面也存在着类似的局限性。在我看来,迄今为止,理论工作在这些领域中所取得的主要成就之一就是证明了这样一个事实:第一,在这些领域当中,个别事件通常都是以为数众多的具体情势为依凭的,而且其数量之大,实是我们永远都不可能探明并确定的;因此,第二,"预测和控制"那个理想必定在很大程度上仍是我们所无力企及的,而且就是那种期望我们能够通过观察发现个别事件之间的常规性关系的希望,对于我们来说也依旧是遥不可及的。一如我们所知,理论为我们提供了这样一种洞见,即一个人一生当中发生的几乎任何一项事件都会对他在未来采取的几乎任何一项行动产生某种影响,然而,这种洞见并不能够使我们把我们的理论知识转换成对具体事件的预测。有一种教条主义的信念认为:只要我们能够建构起一门有关这些论题的科学,那么我们就肯定有可能把我们的理论知识转换成对具体事件的预测;再者,研究这些问题的科学工作者只是还没有取得物理学已经取得的那种成就而已,亦即在可观察的少数几项事物之间发现一些简单的关系。然而,这种信念却是毫无道理可言的。如果说我们已经建构起来的那些理论告诉了我们什么东西的话,那就是我们决不应当指望存在着任何这般简单的常规性。

众所周知,当一个心智试图解释另一个有着同样复杂性的心智的运行细节的时候,除了纯粹"实践的"但却属于尚可克服的那些障碍以外,似乎还存在着一种绝对无法克服的障碍,因为那种认为一个心智可以充分解释自身的观念包含着一种逻辑矛盾。囿于种种原因,本文将不讨论这个事实,不过我在其他论著中已对这个事实进行了讨论[27]。这个事实与本文的讨论无关,因为人们不可能探明并确定所有相关基据这个事实而造成的实际局限性,仍属于逻辑局限性的范畴,而后者却与我们事实上能够做的事情无甚相关性。

在社会现象领域中,似乎只有经济学和语言学[28]成功地建构起了一种极其严密的理论体系。在这里,我将只对与经济学理论相关的一般性命题进行说明,尽管这里讨论的大多数内容似乎也可以适用于语言学理论。

熊彼特(Schumpeter)曾经对经济理论的任务做过极为精彩的描述,他指出:"一个非社会主义社会的经济生活乃是由个人公司和家庭之间所存在的无数关系或交往构成的。我们有可能建构起某些有关它们的定理或原则，但是我们却永远不可能把它们全都观察到。”[29]对此，我们还必须补充指出：第一，除非涉入其间的独特要素的数量相当大，否则我们所关注的大多数现象，比如说竞争，根本就不可能出现；第二，自我形成的整体性模式乃是由不同个体的极其不同的行为所决定的，因此，我们在获取相关基据方面的障碍，也是不可能通过把它们视作统计学集的成分而得到克服的。

据此我们可以说，经济理论仅限于描述在某些一般性条件得到满足的情况下将会出现的各种模式，但是却几乎不可能从这种知识当中推演出任何有关特定现象的预测。只要我们考虑一下那些自瓦尔拉斯（Leon Walras）以降便被人们广泛用来表示所有买卖的商品的价格与数量间一般性关系的联立方程式（simultaneous equations）系统，那么我们便可以极为清楚地认识到这个道理。这些联立方程式是这样构成的：假如我们能够填满所有的空白，也就是说，假如我们知道这些方程式中的所有参数，我们就可以计算出所有商品的价格和数量。但是，至少像这一理论的创建者所明确理解的那样，这种理论的目的并不是要“达到对价格的量化计算”，因为假定我们能够探明并确定所有的基据，实是极为“荒谬”的[30]。

对这种一般性模式的形成进行预测，乃是以某些极为一般的事实性假设为依凭的（比如说：大多数人是为了挣钱而去做生意的；大多数人喜欢挣大钱而不喜欢较少的收入；大多数人可以自由地进行他们所希望做的任何交易；等等。这些事实性假设所决定的是变量的范围，而不是它们的特定数值），但是，这样的预测却不是以有关较为具体情势的知识为依凭的——为了能够对特定商品的价格或数量做出预测，我们就必须知道这些较为具体的情势。至今还没有哪个经济学家是根据自己对未来价格的科学预测并通过买卖商品而成功发了大财的(尽管有些人通过出售这种科学的预测而发了财)。

物理学家常常感到迷惑不解的是,经济学家明明知道自己无法确定那些参数的数值(而这些数值有可能是他们从中推论出个别量值的基础),为什么还要费力不讨好地去建构那些方程式。甚至许多经济学家都不愿意承认这样一个事实,即那些方程式系统并不是他们达到对个别事件做出具体预测的一个步骤,而是他们理论努力的最终结果,亦即只是对人们在限定的条件下能够发现的那种秩序的一般性特点所做的一种描述。然而需要指出的是,经济学家绝不可能把这种描述转变成对该秩序具体表现的预测。

然而值得我们注意的是,对一种模式所做的预测不仅是可以验证的,而且也是有价值的。这种理论告诉我们的是这样一种道理,即这种类型的模式在什么样的一般性条件下会自我形成。因此,它能够使我们去创设这样的条件,从而也能够使我们对我们所预测的那种模式是否会出现一事进行观察。除此以外,这种理论还告诉了我们这样一种道理,即这种模式在一定意义上讲能够确使产出达到最大化;因此,它也能够使我们去创设那些能够确使产出达到这种最大化的一般性条件,尽管我们对许多决定着将会出现的模式的特定情势一无所知。

仅仅对一种模式的解释,在复杂现象的领域中可以说有着特别重大的意义,但是在简单现象(如机械现象)的领域中却无甚意义,这一点实在无须感到惊讶。实际上,在研究复杂现象的时候,一般性模式仅仅是作为我们主要关注对象的那些持续存在之整体的特点而已,因为一如我们所知,有些持续存在的结构除了共同具有这种一般性模式以外,再没有其他什么东西是相似的[31]。

七、决定论主张的含混性

有一种观点认为,我们有时候可以说某种特定类型(或某些类型)的基据会产生某一特定种类的模式,但是我们却无力探明并确定对该模式会采取什么特定形式起决定作用的个别要素的特性;这种观点引发了一些相当重要的结论。这首先意味着:当我们宣称我们知道某些事情被决定的方式的时候,这一陈述的含义实际上是极其含混不清的。这项陈述有可能意味着我们仅仅知道哪一类情势决定着某一特定种类的现象,但却无力具体说明那些决定着我们所预测的那类模式中究竟哪一个模式会出现的特定情势。或者说,这项陈述也可能意味着我们能够解释后者。据此,我们有理由宣称说,某一特定的现象是由已知的自然力量决定的,与此同时我们也可以承认,我们并不确切地知道这种现象究竟是如何产生的。当然,这样说也并无不妥:我们能够对某种特定机制的运行原理做出解释,尽管有人会指出我们不能确切地说出这种机制在某个特定地点和时间中所具有的作用。事实上,我们确实知道一种现象是由某些种类的情势决定的,然而我们却无法根据这个事实而推论说,我们也必定能够知道某个特定情形中决定着这种现象之全部特性的所有情势。

有一种主张认为,科学能够证明一种普世的决定论(a universal determinism);然而,我们却完全可以从哲学上对这项主张做出有效且较为严正的反驳。需要指出的是,从实践的角度来看,我们因不可能探明并确定所有特定的基据(亦即从我们的理论中得出具体结论时所必需的那些基据)而造成的那些局限性很可能是特别明显的。即使那种主张普世决定论的观点是有意义的,通常从中得出的结论也是很难成立的。例如,就我们所界分的两种含义中的前一种含义而言,我们完全有能力证实这样一点:一个人所采取的每项行动都是他的身体(尤其是他的神经系统)之遗传结构以及自他出生以来便始终对他产生影响的所有外部因素所造成的一个必然结果。我们甚至还能够进一步宣称说,如果这些因素中最为重要的因素在某一特定情形中与大多数其他个体极其相同,那么某一特定类型的影响因素就会具有某一特定种类的效应。但是需要指出的是,这乃是我们根据我们无法在特定情形中加以证实的那种"其他条件不变"的假设而做出的一种经验性概括。值得注意的是,首要的事实并没有改变:尽管我们拥有有关人之心智运行原理的知识,但是我们依旧不可能对所有促使个人在某个特定时间做某件特定事情的特定事实做出陈述。对于我们来说,个人的个性仍然是一种非常独特且无法说明的现象——我们可能有望通过诸如赞扬和谴责这类从经验中发展出来的做法对这种现象施以可欲的影响,但是从一般的角度来讲,我们仍然无力对个人的具体行动做出预测或进行控制,因为我们根本就无法掌握这样一种信息,亦即有关对这种行动具有决定影响的所有特定事实的信息。

八、相对论的含混性

从各种"相对论"(relativism)中得出的结论也是以上述那种错误观念为基础的。在大多数情形中,那些有关历史、文化或伦理问题的相对论立场,都是从我们在上文中业已讨论过的那些对进化理论的错误解释中推演而来的。但是需要指出的是,从我们现在所拥有的知识来看,我们似乎必定会得出这样一个基本结论,即我们的整个文明和人类的所有价值都是一个漫长的进化过程的产物,而且正如人之活动的目标所表明的那样,价值在这个进化过程中还在不断发生着变化。我们很可能还有理由得出这样一个结论,即我们现在所信奉的价值仅仅是作为某一特定文化传统中的要素而存在的,而且也只是在一个或长或短的进化阶段中才具有意义——而不论这一阶段是意指前人类的某些时期,还是仅仅意指人类文明的某些时期。我们既没有理由认为这些价值是永恒存在的,也同样没有理由认为人类本身是永恒存在的。因此,在一种可能的意义上讲,我们可以合理地认为,人类的价值是相对的,而且它们的进一步进化也是可能的。

然而,这种一般性洞见却是与伦理的、文化的和历史的相对论者的主张或者与进化论伦理学的主张截然不同的。直截了当地说,尽管我们知道所有那些价值都是相对于某种东西而言的,但是我们却不知道它们是相对于什么东西而言的。我们也许能够指出使这些价值成其为价值的一般性情势,但是我们却不知道我们所持有的价值得以形成的那些特定条件,或者说,我们也不知道我们所持有的那些价值会变成什么样子——假如那些条件不同的话。大多数不合理的结论,都是由那种把进化理论错误地解释成一种根据经验来规定趋势的观点造成的。这种观点为我们提供的不过是一种解释方案——只有当我们知道所有在历史过程中发挥作用的事实的时候,这一解释方案才可能足以解释特定的现象。一旦我们认识到这一点,那么显见不争的是:各种相对论(以及进化论伦理学)的主张便是毫无根据的。尽管我们可以有意义地指出,我们的价值乃是由某类可以从一般角度进行界定的情势决定的,但是值得注意的是,只要我们不能陈述出哪些特定情势产生了现有的价值,或者说,只要我们不能陈述出我们的价值在任何具体的其他情势中会是什么样子,那么我们仍无法从上述有意义的主张中得出任何有意义的结论。

在这里,我们还应当扼要地指出,那些从相同的进化论认识进路——这种认识进路假定,我们能否从我们的理论当中得出具体的结论,取决于我们事实上是否能够对那些情势拥有足够的知识——中得出的实际结论乃是截然不同的。一如我们所知,假设拥有足够的有关具体事实的知识,一般来讲会产生某种知识自负,而且还会使那些人自欺欺人地以为理性能够对所有的价值进行评判。而那种认为人类不可能拥有这种充分知识的洞见,则会致使人们对积淀于现存社会制度和价值之中的全部人类经验采取一种谦卑和敬重的态度。

此外,我们还应当就我们的结论在评价各种"化约论"(reductionism)的方面所具有的重要意义做些许补充说明。从我们反复强调的上述界分中的第一种含义——从一般性描述的含义——来看,亦即从生物现象或心智现象"只不过是"某些物理事件的复合现象或者属于某些特定类型的物理事件之结构的观点来看,上述主张很可能是有道理且应予捍卫的。但是从上述界分中的第二种含义——从具体预测的含义——来看,亦即从仅此便能够为那些有助于达致化约论的较为高调的要求提供正当性证明的具体预测的角度来看,上述主张却又是毫无道理可言的。只有当我们能够用一种从物理角度做出的描述——这种描述穷尽列举了所有构成相关生物现象或心智现象之必要且充分条件的物理情势——来取代那种从生物或心智角度做出的描述的时候,我们才有可能完成一种彻底的化约论。事实上,这类努力的目的始终在于——也只能够在于——以说明的方式列举出那些可能产生相关现象的事件类型而已,通常还会加上"等等"这样的字眼。这类"等等式化约论"(etc. -reductions)并不是那类能够使我们把生物或心智的实体切割出去或者能够使我们用一种有关物理事件的陈述来取代它们的化约论。这类

“等等式化约论”只是对某种秩序或模式的一般性特征所做的解释，而对于这种秩序或模式的具体表现，我们却唯有通过我们对它们的具体经验才能够有所了解[32]。

九、我们的无知的重要性

一如我们所知，科学成功的进步引发并促进了广泛且大量的发展，而这使得人们不仅在很大程度上忽略了那些限制着我们有关事实的知识(factual knowledge)的情势，而且也在很大的程度上忽略了那些因此而设定的理论知识(theoretical knowledge)之适用性的边界，这也许是极其自然的。然而，现在该是我们更为严肃地看待我们的无知(ignorance)的时候了。正如波普尔和其他论者所指出的：“我们对世界的了解越多，我们的知识越是深入，我们也就越是能够自觉地、具体地和明确地认识到自己不知道什么事情(亦即我们的无知)。”[33]在许多领域中，我们确实经由刻苦和认真的学习而懂得了这样一个道理，即我们不可能知道我们为了充分解释那些现象而必须知道的所有事实。

当然，这些边界并不是绝对的。尽管与我们所能够获得的有关简单现象的知识相比较，我们所能够获取的有关某些复杂现象的知识肯定要少得多，但是我们却可以经由刻意地培育一种只旨在达到较有限的目标——并不旨在解释个别事件，而只旨在解释某些模式或秩序的表现的方法而在部分上突破这种边界。无论我们把这类解释称作是原则性解释或模式预测，还是把它们称作是较高层次的理论，这都无关紧要。我们认为：第一，对那种产生某一特定种类模式的一般性机制的认识，不仅是一种用来进行具体预测的工具，而且它本身也极为重要；第二，这种认识可以为人们的行动提供重要的指导(有时候还会告知人们不作为是可欲的)。一旦人们明确认识到了这个道理,那么我们相信,人们就肯定会发现,这种有限的知识乃是极具价值的。

我们必须否弃这样一种幼稚的迷信,即这个世界肯定是以这样一种方式组织起来的,其间,我们有可能通过直接观察的方式而发现存在于所有现象之间的简单常规性,而且这也是科学方法得以适用的一个必要的前设。我们迄今为止在许多复杂结构的组织当中发现的东西,应当足以使我们明白这样一个道理:我们没有任何理由信奉这样的迷信,而且如果我们想在这些复杂领域中取得成功,那么我们的目标就必须与我们在简单现象领域中的目标有所不同。

十、关于"法则"在复杂现象理论中的作用的附言[34]

我们也许有必要补充指出,上文的讨论对人们广泛持有的一种观点即理论科学的目的就在于确立"法则"(law)——至少在"law"这个术语所具有的通常含义上讲是如此——提出了某种质疑。大多数人很可能会赞同把"法则"界定成诸如此类的意思:"一项科学法则乃是两种现象据以按照因果律(即按照原因和结果的原则)而彼此联系起来的规则。"[35]据说,就是像普朗克(Max Planck)这样的权威人物也坚持认为,一项真正的科学法则必须是可以用某项方程式加以表述的[36]。

有一种观点认为,某种特定的结构只能采取由诸多联立方程式组成的系统所界定的表现为符号的一种(仍是不确定的)形式;从今天的情势来看,这种陈述依旧是一种十分出色的科学(理论上的和可证伪的)陈述[37]。当然,如果我们愿意的话,我们还可以把这样一种陈述称为"法则"(尽管一些人完全有理由认为这种做法是在对语言施暴)。但是值得注意的是,采用这样一个术语却有可能使我们忽视这里所存在的一个重要的区别,因为有关这样一种陈述(就像一项日常的法律一般)所描述的乃是一种因果关系的说法,有可能是极其误导的。据此,我们似乎可以这样认为:第一,通常意义上的法则观念,几乎无法适用于研究复杂现象的理论;因此,第二,把科学理论描述成"nomologic"或"nomothetic"(或德语词 *Gesetzeswissenschaften*)的观点,也只适用于那种专门研究只有两三个变量的问题的简单现象的理论,却不适用于那种只研究超出一定复杂水平的现象的理论。如果我们假定,这样一种描述某种复杂结构的方程式系统中的所有其他的参数都是常数,那么我们当然能够把后者中的一个参数对另一个参数的依赖称之为一种"法则",并且把一个参数的变化称为"原因"而把另一个参数的变化称为"结果"。但是,这样一种"法则"只是对于所有其他参数中的一组特定的数值来说是有效的,而且该项法则也会随着它们中的任何一个参数的变化而变化。显而易见,这并不是一个特别有用的"法则"概念,而且有关这种结构之常规性的唯一有效的陈述乃是一整套联立方程式,因为我们知道,如果参数值持续不断地变化,那么我们就能够从这些联立方程式中推演出无限多的表明一个变量依赖另一个变量的特定法则。

从这个意义上讲,我们完全有可能建构起一种旨在研究某个种类的复杂现象的极其精到且颇为有用的理论,然而同时,我们也必须承认,我们并不知道这种现象所遵循的某项唯一的法则(亦即通常意义上的那种法则)。我相信社会现象在很大程度上就是如此:尽管我们拥有种种研究社会结构的理论,但是我仍然怀疑我们是否知道社会现象所遵循的任何"法则"。因此,努力探寻并发现法则似乎并不是科学工作的一个适当标志,而只是我们在上文定义的那些研究简单现象的理论所具有的一个特征而已。此外,在复杂现象领域中,“法则”一词以及因果概念也是无法适用的,除非我们对它们进行修正,进而消除它们所具有的日常含义。

从某个方面来看,当下盛行的对“法则”的强调,亦即对发现两个变量关系中的常规性的强调,很可能是归纳论(inductivism)所导致的一个结果,因为在人们建构起一种明确的理论或假设以前,唯有两个数值间所存在的这种简单的协变现象才可能给人们的感官造成强烈的印象。在较为复杂现象的领域中,更为显见不争的是,我们必须首先拥有我们自己的理论,然后我们才能够探明并确定事物是否是按照我们的理论进行运动的。如果人们没有按照这种方式把理论科学与那种探寻一个数值依赖另一个数值这种简单意义上的法则的努力等而视之,那么我们原本是可以避免诸多思想上的混乱的。的确,我们原本是可以防止出现这类错误观点的,比如说,生物进化理论提出了某个明确的“进化法则”(即某些阶段或某些形式必然会相继出现的法则)。当然,这绝非生物进化理论的真正要旨之所在,而且任何坚持这种错误观点的努力,也都是以误解达尔文的伟大成就为基础的。为了成为科学,人们就必须提出法则,这种偏见被证明是最为有害的方法论观点之一。当然,从波普尔所给出的理由来看,这种观点在某种程度上讲还是有用的,亦即在简单陈述具有意义的所有领域中,“简单陈述……应当得到较高的评价”[38]。但是在我看来,始终会存在这样一些领域,而人们可以在其间证明,所有这类简单陈述都肯定是错误的,因此赞同“法则”的偏见也肯定是有害的。

【注释】

[1]参见 Aristotle, *Metaphysics*, Ⅰ, Ⅱ, 9, 9826b (Loeb ed. p. 13):“正是经由好奇心,

人类才开始进行哲学思考,而且最初也是经由好奇心才开始哲学思考的……显而易见,他们是为了知识而不是为了任何实际效用而从事科学研究的。”另见 Adam Smith,“The Principles which Lead and Direct Philosophical Inquiries, as Illustrated by the History of Astronomy”,载 *Essays*, London, 1869, p. 340:“因此,好奇心,而不是对发现所带来的好处的任何预期,乃是促使人类进行哲学研究——即力求揭示出那些把各种各样的自然现象联系在一起的隐秘关系的学问——的第一本原。他们乃是为了进行哲学研究而进行哲学研究的,而不会考虑这种研究是否会给他们提供达致许多其他享乐的手段。”现在流行的观点则与上述观点相反,如“尼罗河流域的饥荒导致了几何学的发展”(正如 Gardner Murphy 所言,见 *Handbook of Social Psychology*, ed. by Gardner Lindzey, 1954, Vol. Ⅱ, p. 616),然而这种流行的观点真有证据吗?显而易见,几何学的发现被证明具有实用性这个事实,并不能证明人们乃是因为几何学有实用性才发现了它。经济学在一定程度上讲是这种通例的一个例外,因为它更多地受需要而不是只受好奇心的指导。关于这个事实,请参见我的演讲:“The Trend of Economic Thinking”,载 *Economica*, 1933。

[2]见 K. R. Popper, *The Poverty of Historicism*, London, 1957, p. 121:“科学……并不像一些研究方法的学者所认为的那样,能够以观察或‘收集基据’作为出发点。在我们能够收集基据之前,我们必定已经产生了对‘某一种类的基据’的兴趣:问题总是先行。”另请参见他的 *The Logic of Scientific Discovery*, London, 1959, p. 59:“观察始终是根据理论的观察。”

[3]虽说从某些方面来讲,我们感官的模式认知能力显然超过了我们的心智详尽阐明这些模式的能力。我们感官的这种能力在多大程度上是另一种(先于感觉的)经验的结果,则是另一个问题。关于这个问题以及所有的认知都涉及一种理论或假设的一般问题,请参见拙著:*The Sensory Order*, London and Chicago,

1952,尤见7.37一节。另请参见 Adam Ferguson(很可能源出于 George Berkeley)在 *The History of Civil Society*(London,1767,p.39)一书中所阐明的精彩观点:“思想的推理有时候是无法与感官认知区分开来的”;以及 H. von Helmholtz 所提出的有关大多数认知中包含着“无意识推理”的理论。有关这些观点在晚近的复兴,参见 N. R. Hanson,*Patterns of Discovery*,Cambridge University Press,1958,尤其是 p.19;以及 J. S. Bruner,L. Postman 等人最近提出的“认知理论”中关于“假设”在认知中的作用的观点。

[4]参见 G. H. Hardy,*Mathematician's Apology*,Cambridge University Press,1941,p.24:“数学家就像画家或诗人一样,是一个制造模式的人。”

[5]Charles Dickens,*David Copperfield*,p.1.

[6]尽管人们可以怀疑人们事实上是否有可能对比如说一架飞机的摆动在某个特定时刻对我这杯咖啡表面的波纹所产生的精准模式做出预测。

[7]参见 Michael Scriven,“A Possible Distinction between Traditional Scientific Disciplines and the Study of Human Behavior”,*Minnesota Studies in the Philosophy of Science*,Ⅰ,1956,p.332:“因此,对行为的科学研究与对自然现象的研究之间的区别,在某种程度上讲,乃是因我们在行为理论中旨在说明的最为简单的现象也有着相对较大的复杂性所致。”

[8]Ernest Nagel,*The Structure of Science*,New York,1961,p.505:“虽然社会现象有可能确实是复杂的,但是我们却绝不能肯定地说它们一般要比物理现象和生物现象更复杂。”然而也请参见 Johann von Neumann,“The General and Logical Theory of Automata”,*Cerebral Mechanism in Behavior*,The Hixon Symposiuan,New York,1951,p.24:“我们在这里所处理的乃是我们并无实践经验的那部分逻辑。就这种复杂性的秩序而言,我们已知的任何事情都是无法与之相比的。”在这里,用几个事例来说明生物学和神经学所处理的数值秩序,也许是颇有助益的。尽管

宇宙中电子总数估计为 10^{79},而且电子和质子的数量估计为 10^{100},但是在有着10个等分基因的1 000个点(基因)的染色体中,却存在着 10^{1000} 的可能组合;而且可能的蛋白质数量估计为 10^{2700}(见 L. von Bertalanffy, *Problems of Life*, New York, 1952, p. 103)。C. Judson Herrick(*Brains of Rats and Men*, New York)认为:"在大脑皮层数分钟的紧张活动过程中,交感神经实际进行的相互联系的数量(把不同组合模式中不只出现过一次的联系都计算在内),完全有可能像太阳系中原子的总数一样多(即 10^{56})。"此外, Ralph W. Gerard(*Scientific American*, September 1953, p. 118)曾经估计,在70年的时间段里,一个人有可能累积起 15×10^{12} 个信息单位("彼特"),这要比神经细胞的数量多1 000倍。当然,社会关系对此造成的进一步的复杂性,相对来讲也就不那么重要了。但是这里的关键在于,如果我们想把社会现象"化约成"物理现象,那么这会构成一种额外的复杂性,因为这里还多了一种决定着精神现象的心理过程的复杂性。

[9]参见 Warren Weaver, "A Quarter Century in the Natural Sciences", *The Rockefeller Foundation Annual Report*, 1958, Chapter Ⅰ, "Science and Complexity"。需要指出的是,在撰写本文时,我只看到了刊登在 *the American Scientist*(XXXVI)1948 上这篇文献的缩写本。

[10] Lloyd Morgan 有关"突生"(emergence)的概念,乃是经由 G. H. Lewes(*Problems of Life and Mind*, lst series, Vol. Ⅱ, problem Ⅴ, Ch. Ⅲ, 这一节的标题是"Resultants and Emergents"; American ed., Boston, 1891, p. 368)而从约翰·穆勒那里获得的:穆勒对化学和其他复杂现象中的"反应性异常"法则与机械学等学科中的一般"因果成分"进行了界分,参见他的 *System of Logic*,(第一版)London, 1843, Bk. Ⅲ, Ch. 6, in Vol. I, p. 431;另参见 Lloyd Morgan, *The Emergence of Novelty*, London, 1933, p. 12。

[11] Lewis White Beck, "The 'Natural Science Ideal' in the Social Sciences", *The*

Scientific Monthly, LXVIII, June 1949, p. 388.

[12]参见拙著:*The Sensory Order*, paras. 8.66 ~ 8.86。

[13]参见 Ernest Nagel, "Problems of Concept and Theory Formation in the Social Sciences", in *Science, Language and Human Rights* (American Philosophical Association, Eastern Division, Vol. 1), University of Pennsylvania Press, 1952, p. 620:"在许多情况下,我们并不知道恰当的原初的分界条件,因此我们也就无法做出准确的预测,即使可资运用的理论足以使我们达到这个目的。"

[14]"代数性质的理论"这个有用的术语,乃是 J. W. N. Watkins 向我建议采用的。

[15]K. R. Popper, *The Logic of Scientific Discovery*, London, 1959, p. 113.

[16] M. Scriven, "Explanation and Prediction in Evolutionary Theory", *Science*, August 28, 1959, p. 478;另请参见 K. R. Popper, "Prediction and Prophecy in the Social Sciences"(1949),重印于他的 *Conjectures and Refutations*(London, 1963)一书之中,尤其是 pp. 339 以次。

[17]参见拙文:"Degrees of Explanation", *The British Journal for the Philosophy of Science*, Ⅵ, No. 23, 1955;亦即本丛书中所收《解释的程度》一文。

[18]见拙著:*The Counter-Revolution of Science*, Ⅲ., 1952, pp. 60 ~ 63。

[19]参见 J. G. Taylor, "Experimental Design: A Cloak for Intellectual Sterility", *The British Journal of Psychology*, 49, 1958, esp. pp. 107 ~ 108。

[20]参见 Stephen Toulmin, *Foresight and Prediction*, London, 1961, p. 24:"没有一个科学家曾用这个理论去预测某个新物种的生物会出现,更不用说用它去证实他的预测了。"

[21]甚至波普尔教授似乎也意指这样一种解释,因为他在 *Poverty of Historicism*(p. 107)一书中指出:"进化论假设并不是一种普世的自然法则,而是一种有关一部分陆栖动物和陆生植物之祖先的特定的(更为准确地说,是独特的)历史陈

述。”如果这意味着，进化理论的本质就在于声称特定物种有着共同的祖先或者说结构上的相似性始终意味着有一个共同的祖先（进化理论正是从这一假设中推论出来的），那么显而易见的是，这肯定不是当下进化理论的主要内容。也许是出于偶然的原因，波普尔把“哺乳动物”的概念当作一个一般性概念的做法（*Logic*，p. 65）与他否定进化论假设描述了一种普世的自然法则的观点之间存在着某种矛盾之处。同样的过程也可以在其他星球上产生哺乳动物。

[22] 正如达尔文致 Lyell 的信函所示，他本人十分清楚地知道，“所有的工作都在于应用这项理论”（转引自 C. C. Gillispie：*The Edge of Objectivity*，Princeton，1960，p. 314）。

[23] K. R. Popper，*Logic*，p. 41.

[24] 参见 Morton Beckner，*The Biological Way of Thought*，Columbia University Press，1954，p. 241。

[25] K. R. Popper，*Logic*，p. 73.

[26] Ralph S. Lillie，“Some Aspects of Theoretical Biology”，*Philosophy of Science*，XV，2，1948，p. 119.

[27] 见拙著：*The Sensory Order*，8. 66 ~ 68. 86；另见拙著：*The Counter-Revolution of Science*，Glencoe，Ⅰ，22，1952，p. 48。

[28] 尤请参见 Noam Chomsky，*Syntactic Structures*，Gravenhage，1957。他坦诚地放弃了探寻一种归纳论的“发现方法”的努力并以探寻一种“进化论的方法”取而代之，而正是经由这种努力，他似乎成功地建构起了这样一种理论，因为这种进化论的方法能够使他把那些错误的语法理论清除出去，而且在这种进化过程中，这些语法可以经由“本能、猜测、各种局部方法的暗示以及对以往经验的依赖”而取得（p. 56）。

[29] J. A. Schumpeter，*History of Economic Analysis*，Oxford University Press，1954，p. 241.

[30]V. Pareto,*Manuel d' economie politique*,2nd ed. ,Paris,1927,pp. 223 ~ 224.

[31]对这个问题的错误看法的一个典型事例(转引自 Nagel,见前引书,p. 61)可以见之于 Charles A. Beard 所著 *The Nature of the Social Sciences*(New York,1934,p. 29)一书。他在该书中指出,如果一门研究社会的科学"就像天文学一样是一种真正的科学,那么它就应当可以使我们对不久将来的和长远未来的人类事务的基本运动做出预测,而且也能够使我们描绘出 2000 年或 2500 年的社会图景,就像天文学能够描绘出天体在未来特定时刻的现象图一样"。

[32]参见拙著:*Counter-Revolution of Science*,pp. 48 以次;William Craig,"Replacement of Auxiliary Expressions",*The Philosophical Review*,65,1956。

[33]K. R. Popper,"On the Sources of Knowledge and Ignorance",*Proceedings of the British Academy*,46,1960,p. 69. 另请参见 Warren Weaver,"A Scientist Ponders Faith",*Saturday Review*,January 3,p. 1959:"科学在对整个未知领域的进发中真的获得增进了吗? 一个典型的事实是,当科学回答了一个问题的时候,它还会遇到一些新问题。科学就像是在一片无知的大森林中工作,以开辟出一片使事情变得一目了然的较大的开阔地……但是,随着这片开阔地变得越来越大,它与无知领域的接触面也会变得越来越大。科学知道的事情越来越多,但是从某种终极的意义上讲,它却并没有得到增进,因为意识到但却并不理解的事情也会不断地增多。在科学中,我们对自己的无知会获得越来越精细的认识。"

[34]本文首次发表时没有含括这一节,只是这次重印时加上的。

[35]当我草拟本文时碰巧看到的这个特定的措词,乃源出于 H. Kelsen,"The Natural Law Doctrine Before the Tribunal of Science"(1949),后收入他的 *What is Justice*? University of California Press,1960,p. 139。这似乎很好地反映了一种为人们广泛持有的观点。

[36]波普尔爵士对此评论说，如果我们对麦克斯韦的其他方程式毫无所知，那么人们是否能够认为他的任何一个单独的方程式表达了具有某种真实意义的东西，便是极有疑问的；事实上，有些符号必须在各种方程式中反复出现，以确使这些符号具有先已意图的含义。

[37]参见 K. R. Popper，*Logic of Scientific Discovery*，17，p. 73："即使方程式系统没有能力提供一种唯一的解式，那么它也不会允许人们用任何一种可以想见的数值组合代替'未知数'（变量）。更为确切地说，这种方程式系统明确指出了某些特定的数值组合或数值系统是可以接受的，而另一些特定的数值组合或数值系统则是不能接受的；它对那种可以接受的数值系统与那种不能接受的数值系统进行了界分。"值得注意的是，这种观点在下述段落文字中还被适用于"陈述性方程式"。

[38]参见 K. R. Popper，上引书，p. 142。

专门化或专科化的两难困境[*,**]

这些天来,我们一直沉浸在纪念我们大学一个研究中心之创建的氛围中,因此我们不可避免地会时时想到“研究与接受教育间的关系”以及“为研究而接受教育”这样的问题。据此我们可以说,如果我们把这次纪念活动的最后一个晚上用来讨论这个领域中所存在的肯定会引起我们许多人都关注的问题,也许是相当合适的。研究必然会要求专门化或专科化(specialization),而且还常常是在一个很狭小的领域内的专门化或专科化。此外,富有成效的科研工作所必须符合的那些严苛的标准,也很可能只有通过彻底把握至少一个领域的知识才能够达到。而这在今天则意味着:第一,这个领域必定是一个非常狭小的领域;第二,这个领域还应当是一个有着它自身牢固确立的标准的领域。因此,无论是在研究领域还是在大学教育领

---

* 本文译自哈耶克著:*Studies in Philosophy, Politics and Economics*, The University of Chicago Press, 1967, pp. 122 ~ 134。

** 本文是我(哈耶克)在美国芝加哥大学社会科学研究大楼启用25周年纪念会上发表的演讲文稿,后被收入 Leonard D. White (ed.): *The State of the Social Sciences*, University of Chicago Press, 1956。

域,一种逐渐步向专门化或专科化的趋势似乎已成了一种不可避免之势,而且还注定会继续下去并有所发展。

当然,这种情况适用于所有的科学分支领域,而不只限于我们特别关注的那个社会研究领域。一个极为显见不争的事实表明,一则原本特指"科学专家对越来越少的东西知道得越来越多"的令人悲哀的笑话,现在已然变成了每个人对科学的唯一认识——这就是说,每个人都确信,所有的科学分支领域(包括社会研究领域)都必须步向专门化或专科化。然而仅就此而言,我却认为,各种不同的领域之间实际上存在着很重要的区别——种种特殊的情势应当向我们提出了警告,即我们不应当在社会科学各领域中不经思考就轻易地接受那种被自然科学家视作是他们可以泰然受之的——尽管是一种令人遗憾的——必然的趋势。如果一个化学家或一个生理学家为了使自己成为一个更优秀的化学家或生理学家而决定放弃接受综合教育并集中精力研究他自己的专题,那么他的这项决定便完全有可能是正确的。但是在研究社会的过程中,这种专注于一个专业的做法却会产生一种特别有害的后果:它不仅会妨碍我们成为有魅力的伙伴或好市民,而且还可能会侵损我们在自己研究领域中的研究能力——至少有可能会侵损我们在践履我们必须践履的某些最重要的任务方面的能力。一个物理学家即使只是物理学家,仍能够在成为一个一流物理学家的同时成为一个极有价值的社会成员。但是,任何只是一个经济学家的人都不可能成为一个伟大的经济学家——我甚至禁不住想说,一个只是经济学家的经济学家,即使不是一个切实危险人物的话,也可能变成一个令人讨厌的家伙。

我不想夸大这种差异,因为归根结底,这种差异只是一种程度上的差异;但是对我来说,这仍是一个极大的差异,以至于那种在一个领域中只是小错的事情,在另一个领域中却是大恶。我们所面对的乃是一种真正的两难困境。它是由我们所研究的论题的性质造成的,或者更为准确地说,是由我们必须赋予具体且特定者(以不同于普遍且理论者)的重要性造成的。尽管理论与理论应用之间的逻辑关系在所有的科学领域当中都是一样的,尽管在我们的领域中如同在任何其他的领域中一样,理论都是不可或缺的,但是我们决不应当否认的是:第一,自然科学家的兴趣主要集中在普遍法则方面,而我们的兴趣,说到底,则主要在于那种特定的、个别的和独特的事件;第二,从某种意义上讲,我们的理论与现实相距较远——因为在这些理论能够被适用于特定情形之前,还需要有许多许多的其他知识予以支撑。

由此产生的一个结果是,在自然科学领域中,专门化或专科化在很大程度上是一种可以被称之为成体系的专科化(systematic specialization),亦即一门理论学科的专门化(specialization in a theoretical discipline);但是至少在社会科学的研究方面,更为常见的则是论题的专门化(topical specialization)。当然,这种区别也不是绝对的。火星地形学专家、尼亚萨兰生态学专家或三叠纪动物学专家,同社会科学领域的学者一样,都是论题研究专家;然而,即使在上述列举的情形中,一个自然科学领域中的合格专家所必须拥有的那种一般性知识也很可能要比社会科学领域中的专家多得多。同一名从研究希腊克里特岛(Crete)转向研究秘鲁的考古学家相比较,一名从研究尼亚萨兰转向研究阿拉斯加的生态学家所需要学习的知识要少得多。在上述情形中,一个考古学家几乎需要接受一种全新的培训,而一个生态学家却已经拥有了绝大多数必需的知识并且马上就可以展开研究。

上述差异所导致的另一个后果是两种年龄之间的不同,亦即人之心智最为敏捷的年龄与一个人能够积累起一个合格的专家所必须具备的知识的年龄之间的不同。当我们从纯理论的论题转向那些以具体现象为主要关注对象的论题的时候,这两种年龄之间的不同也就变得越来越大了。我们每个人在一生中的绝大部分时间里,很可能都是按照年轻时所接受的那些思想生活的。需要指出的是,尽管对于数学家或逻辑学家来说,这意味着他可以在 18 岁的时候就做出他人生中最辉煌的成就,但是从另一个极端的角度来看,这对于历史学家来说则意味着他有可能在 80 岁的时候达到他事业的巅峰。

我相信诸位不会把我在上面说的话误解成这样一种意思,即我把自然科学与社会科学之间的差异等同于了理论科学与历史学之间的差异。显而易见,这肯定不是我的意思。当然,我也不是要捍卫这样一种观点,即社会研究只不过是历史学而已,因为我认为这种观点是错误的。实际上,我只是想强调这样一个事实,即无论何时,只要我们运用我们的知识,理解历史都是必需的。社会科学领域中的理论性学科所要求的那种抽象程度,会使这些学科变得相当理论化,即使其理论化的程度不多于至少也会不亚于任何自然科学学科的理论化程度。然而,这正是我们所面临的困难的根源之所在。不仅个别的具体事例对于我们的重要性要比它之于自然科学大得多,而且从理论建构到解释特定现象之间所需要做的工作,对于我们来说也要比它之于自然科学多得多。因为一如前述,把研究社会的理论适用于特定情形,还需要有许多许多的其他知识予以支撑。

在我们几乎每一次把我们的知识适用于具体事例的时候,一个学科的知识,乃至我们能够用以探讨该论题的所有的科学知识,实际上只是我们思想基础中的一小部分。在这里,我想首先讨论使用科学学科的成果而非社会研究学科的成果的必要性,尽管这与实际需要的知识还相距甚远。人们拥有的一种常识认为，具体的现实是不可能被分割成若干与各种科学学科研究相适应的不同且独特的对象的，然而这种常识却严重地制约了我们作为科学家对任何特定事件发表意见的能力。社会中几乎不可能存在这样一种个别的现象或事件，亦即那种在我们不知道若干学科的大量知识（更不用说不知道那种必需的有关特定事实的知识）的情况下，我们便能够妥适研究的个别现象或事件。为了能够说明那种甚至是最简单的社会进程，或者为了能够对几乎任何一个政治问题都提出合理且明智的建议，我们究竟应当具备什么样的知识呢？当我们对这样一个问题进行思考的时候，我们当中的任何人都只能感到自己非常无能甚或卑微。我们很可能对我们不可能知道我们理想中应当知道的知识这一点太习以为常了，因此，我们很难充分意识到我们有多少不足。在一个理想的世界中，一个经济学家不懂得法律、一个人类学家不懂得经济学、一个心理学家不懂得哲学，或者一个历史学家不懂得几乎所有其他学科的知识，实是不可想象的；然而事实却是我们能力上的这种局限性使得我们所具有的那些不足之处变成了一种常态。我们所能够做的实际上只是接受我们着手研究的特定课题的引导，并且逐渐掌握研究该课题所需要的那种特殊的专门方法。事实上，只有当我们以特定的方式把各种各样的知识和技艺结合在一起的时候，研究工作才可能取得较大的成功，因此，我们很可能要用半辈子的时间才可能在为自己设定的科研任务所必需的知识方面强于普通人 3/4。在这个意义上讲，富有成效的科研工作无疑需要最高度的专门化或专科化予以支撑——事实上，这种专门化或专科化已经高到了这样一个程度，以至于那些实践这种科研工作的专家在人们系统讲授任何一门常规学问的时候很快就会变得无甚意义。然而需要指出的是，无论是在社会研究的领域还是在自然科学的领域中都发生了这样的情况:社会迫切地需要这样的专家;知识的增长在今天主要依靠这样的专家;一所综合性大学也总是聘不够这样的专家。

然而,令人感到特别奇怪的是,教授想收学生,尤其想收他们可以为其指导全部学业的那些学生。因此,研究专业的多样化,也导致了教学部门(系科)的激增。正是在这里,我们问题中关涉到教育方面的问题开始凸显出来了。一如我们所知,并不是每一项合理的研究专业都适合于作为一门科学教育的学科加以发展的。即使我们完全把它视作是为了研究而进行的教育,有一点也肯定是令人颇感怀疑的,即研究某个特定的经验性问题所需要的那种知识是否应当在学生必须学习真正的才能、确立自己的准则和型构一个学者应有的良知的关键年份里,被拼凑起来当作一种整体性知识传授给学生。我个人认为,在这些对学生来说至关重要的岁月中,学生应当彻底掌握一个界定明确的领域的知识,亦即应当全面掌握一个得到系统阐释的题域中的所有知识。当然,这个领域未必始终是一个理论性的领域(尽管我个人多少有点倾向于如此),因为一些描述性的和历史性的学科也有着它们自己的高度发达的方法,而学生需要用多年的时间才能够掌握它们。但是不论怎么说,它都应当是这样一个领域,亦即那种已经牢固确立了自己标准的领域。此外,在这个领域中,也不会出现这样的情况:除了那些已对其间的论题做了终生研究的学者以外,大多数研究者对于这个领域中的许多知识都必定知之甚少,就像是外行似的。

现在,我想用一个科目的例子来说明我的意思,而我之所以选择这个科目来说明问题,实是因为从我今天演讲的情况来看有这样一个好处,即芝加哥大学没有设置这样的科目,因此我所举的例子也就不会伤害到任何人的感情了。这个科目就是古代经济史(ancient economic history)。在我看来,古代经济史不仅始终是一个非常吸引人的科目,而且也是一个对我们理解我们自己的文明有着重要意义的科目。因此,我特别希望芝加哥大学也能设立并讲授这个科目。但是需要指出的是,我这样讲并不意味着我认为芝加哥大学就应当成立一个独立的古代经济史系:在这个古代经济史系里,学生们从其研究生生活一开始就应当按照一个合格的古代经济史学家所必须掌握的各种学科知识和各种研究技能来分配他们的精力和时间。相反我认为,如果那些想在古代经济史领域中有所成就的人先在古典文学,或古代史,或考古学,或经济学方面接受一种全面的培训,那么他们将会取得更大的成就。此外,一如我们所知,只有当他们真正具备了在上述某个领域中进行研究的能力并且在很大程度上开始凭靠自己的能力进行工作的时候,他们才能开始严肃认真地对若干其他科目进行研究。

当我在这里强调高度系统的专门化或专科化在某个特定的教育阶段具有必要性的时候,我当然不赞成那种强行安排了大量指定课程或讲座的学制。因为那种学制不仅使得学生没有时间再去钻研任何其他问题,而且也常常会使得学生无法根据自己对知识的好奇心去学习,而我们知道,这种好奇心能使学生获得远远多于常规教育所能提供的任何知识。如果说美国大学里还缺点什么东西的话,那么我认为,那就是学生们应当保有的那种知识探险的态度。因为我们知道,正是那种态度,不仅可以指导他们所从事的专业学习,而且还能够促使他们去广泛地涉猎各种学科领域,选修大量不同的课程,进而还能够使他们感到他们的思想家园并不是他们所在的科系而是他们的大学。我认为,这个问题与其说是学生的过错,不如说是大学组织的过错,因为一如我们所知,大学组织通过收取额外的听课费用或规定严苛的科系课程时间表的方式而使得学生们在很大程度上无暇顾及他们所在科系以外发生的事情,而且还趋向于在学生们培养他们个人爱好的道路上设置障碍。我认为,唯有让学生们在这个方面享有最大的自由,他们才会发现自己真正喜爱的专业。

我的意思实际上是说,在学生接受教育的过程中,必须有这样一个时期或阶段,其间,学生们的主要目标在于彻底掌握一门界定明确的学科知识,并且学会怀疑那种浅薄的知识和随意做出的概括。但是需要指出的是,我现在所讨论的只是为研究而接受教育那个过程中的一个必要阶段。我所强调的要点在于:不同的做法适合于不同的阶段。如果说我认为并不是所有得到认可的研究专业都同样适合于作为一种基础性训练学科,那么与此同理,那种通常有助于产生一部博士学位论文的高级研究工作也无须与任何业已确立的研究专业相符合。在这里,我所论证的乃是这样两个问题:第一,只有某些种类的专业化才能被冠以“学科”(disciplines)之名——所谓“学科”,在这里乃是指该词所具有的原初含义,即一种“心智的训练”(a discipline of the mind);第二,与一个人的心智在学校教育中经验到的那种严格和严谨的品格相比较,一个人的心智接受哪个学科的训练并不十分重要。我甚至认为,那种曾经作为英国高等教育之基础的信念也有某种可取之处,即一个彻底研习过数学或古典文学的人,可以被认为是一个有能力自学几乎任何其他科目的人。从今天的情势来看,能够实现这种目标的真正的学科也许比过去多了许多;但是我认为,这种学科的数量却仍然无法与研究专业激增的数量相比较。

实际上,这个问题还有另外一个方面。我想,我可以用我自己所在的领域的例子把这个方面的问题阐释清楚。我曾经认为,经济理论乃是人之心智训练的真正学科之一,但是我后来却对此感到后悔了,因为在那些接受了纯经济理论这种基本训练的人当中,大多数人仍倾向于当这个领域中的专家。我说这话的意思是,我们当中那些教授这些科目的同行在从事这项工作的时候应当意识到并抱有这样一种希望(甚至应当持有这样一个刻意的目的),即那些被我们当作专家训练的研究者不应当继续成为这个领域中的专家,而应当运用他们的能力去研究某种其他的(现实的或论题性的)专业科目。实际上,我更乐意看到这样一种现象,即在我们培养出来的经济理论研究者当中,一些人(即使是绝大多数人)成了经济史学家或者成了劳动经济学或农业经济学方面的专家——尽管我不得不承认,我仍然对这些论题是否适合作为一种基本训练这一点存有相当的疑问。

请注意,在我讨论这些构成性科目(composite subjects)的时候,我并不是以一种极为轻蔑的口吻说的,相反,我相当欣赏这些科目对我们的思想资质所提出的那些高要求。我之所以对它们所提出的那些高要求极为欣赏,实是以这样一种认识和一种信念为基础的:这种认识认为,就大多数值得我们进行研究的科目而言,我们应当掌握多于一门系统学科的知识;而这种信念则认为,如果我们能够在有人严格指导我们的工作或学习的短时间内真正掌握一门学科的知识,那么我们就更可能掌握多于一门系统学科的知识。当然,我也正在呼吁有关方面能够为学生们安排这样一个高度专门化或专科化的研习时期。但是需要指出的是,我的主张只能以这样一种安排为前提,即在此之前,学生们已经接受了良好的一般教育;颇为遗憾的是,美国的学校恐怕很难为学生提供这样一种一般教育,而我们的学院也只是在为提供这样的教育而奋斗——不过从今天的情势来看,这简直就是一种壮举。但是需要指出的是,我主要强调的乃是这样一个问题,即在经历了这样一个不可或缺的专门化或专科化的时期以后,我们依旧无力应对人类文明的研究所提出的大多数问题。到现在为止，我只是论及了我们大多数人能够以一种合理的方式为自己确定的那些低调且有限的任务；其实，这里还存在着一种我们必须为之奋斗的理想，然而这种理想却远远超出了我们今天所拥有的力量所能及者。此外，我还没有讨论综合的必要性，也没有论及努力从整体上理解我们的文明或者任何其他文明的问题，当然更未论及对不同文明进行比较研究这个更具雄心的构想。我不想对这些努力做什么评论，至多只是表示这样一种看法，即颇为幸运的是，在今天的学术界，偶尔会出现个别特别杰出的人士，他们不仅有能力而且也有勇气把整个人类世界作为他们的研究对象。在今天晚上稍晚些时候，你们将有幸听到一位伟大学者的演讲，因为在这个领域中，就实现这项看似不可能完成的使命而言，这位学者很可能是当今最接近这个目标的人士[1]。

当然，对于那些为了勇于承担也许任何人都无力宣称完全胜任的那些使命而甘冒打破专门化或专科化所设置的所有界限之风险的思虑缜密的学者，我们唯有表示钦佩。尽管我基本上赞成这样一种善意且健康的偏见，即一个撰写一本畅销书的学者会因此而被他的同行们看低——我有时候甚至还希望这个国家的人应当多一些这样的偏见，但是需要指出的是，对这种打破学科界限的做法所抱持的怀疑态度却不应当过激到阻碍人们去尝试超越那些专家所设定的研究藩篱的程度。就我个人而言，我甚至更倾向于鼓励人们进行这样的尝试，尽管与其他的社会科学家相比较，经济学家可能因他们的领域蒙遭“侵犯”而吃了更多的苦头，从而也更不能容忍这样的“侵犯”。当然，提出这样一种看法也不无道理，即在其他的学科，那些得到人们公认的专业中的代表人物也存在着一种较强烈的小集团式的排他主义倾向，而正是这种狭隘的排他主义倾向甚至会使他们憎恨一位相邻学科的学者在严肃从事一项涉及他们专业之研究的方面所做的努力——尽管我们各个学科之间所存在的基本关系完全会使这样一种情况成为可能:一个领域孕育出的思想被证明有可能会在另一个领域中开花结果。

我刚才提到的那些力图把文明当作一个整体加以理解的崇高努力,从一个方面来看,对于社会科学研究有着特别重大的意义,因为那些努力以一种特别明确的方式提出了一个棘手问题,而这个棘手问题则会在一定的程度上影响到我们所有人的工作。到目前为止,我仅仅论及了不断汲取那种属于各种专科领域而非我们本领域的知识的必要性。值得注意的是,尽管掌握多学科知识的必要性给人们提出了一个难以克服的困难,但是这个困难还只是我们问题的一个部分而已。甚至当我们所研究的只是我们以及我们的整个思维方式都属于其间一部分的那个文明的某个方面或某个部分的时候,这也肯定意味着:只要我们想完成我们的工作,甚或只要我们想继续保持明智,那么我们就绝不能把我们在日常生活中肯定会不加质疑就予以接受的大多数情形视作当然之事;此外,这还意味着我们必须按照系统的方式对我们未经反思便在行事的过程中予以接受的所有前设进行质疑。总而言之,这意味着:第一,为了保持严格的科学性,我们应当就好像处于系统之外一般从外部去检视那种我们以内部的检视方式绝不可能从整体上看到的东西;第二,在实践中,我们必须常常去处理许多我们实际上还没有科学答案的问题——在这种情形中,我们必须运用的知识,或者是那种唯有丰富且不尽相同的经验方能提供的有关人类与世界的知识,或者是那种积累而成的智慧,亦即那种经由继承而来的我们文明的文化遗产,因此在我们看来,这两种知识肯定既是我们在社会中行事的时候用以指导自己的工具,同时也是我们进行批判性研究的对象*;第三,为了完成我们的大多数任务,我们不仅必须是合格的科学家和学者,而且还应当是极富社会经验的人,在某种程度上讲,还应当是哲学家。

在我阐释上述论点之前,请允许我用简短的几句话提醒你们注意这样一个方面,因为在这个方面,社会研究的专门化或专科化程度远不如自然科学中的程度高:一如我们所知,理论家与实践者之间的区别远远没有物理学

---

* 哈耶克关于这个问题的阐释,根据我的研究,乃是哈耶克对本丛书第二辑所收入的他于1955年写成而在1967年发表的《解释的程度》一文第九节中所阐发的一个极重要观点的进一步拓深:“一如我们所知,在一些领域中,我们的研究对象、我们研究和交流成果所诉诸的手段(亦即我们的思想、语言以及人与人之间进行交流的整个机制)乃是部分相同的,因此在讨论一个事件系统的同时,我们也必定是在该系统中活动的;的确,尤其是在这样的领域当中,我们所能够获得的知识极可能存在着相当明确的限度。唯有对存在于下述两种情形之间的那种关系进行研究,我们才可能探明并确定上述限度:一是在一个特定的系统之内我们所能够说的事情,另一是关于那个系统我们所能够说的事情。”当然,也请读者认真比较哈耶克在另一个题域中的观点,即“由于任何业已确立的行为规则系统都是以我们只是部分知道的经验为基础的,而且也是以一种我们只是部分理解的方式服务于一种行动秩序的,所以我们不能指望以那种完全重构的整全方式对该规则系统进行改进。如果我们想充分利用那些只是以传统规则的形式传递下来的经验,那么为改进某些特定规则而做的批判和努力,就必须在一给定价值的框架内展开;当然,这个给定的价值框架,就人们力图实现的即时性目的而言,必须被他们视作是一种无须证明便予以接受的东西。这种批判乃是在一个给定的规则系统内部展开的,而且也是根据特定规则在促进型构某种特定的行动秩序的过程中与所有其他为人们所承认的规则是否一致或是否相容(亦即一致性或相容性的原则)来判断这些特定规则的;因此,我们将把这种批判称之为‘内在的批判’(immanent criticism)。只要我们承认整个现行的行为规则系统与这个规则系统所会产生的已知且具体的结果之间存在着一种不可化约性,那么上述‘内在的批判’就是我们对道德规则或法律规则进行批判性检视的唯一基础。”(请参见哈耶克:《法律、立法与自由》第二卷“社会正义的幻象”,邓正来等译,中国大百科全书出版社2000年版,第33页)——邓正来按

家与工程师之间的区别或者远远没有生理学家与医生之间的区别那般凸显。这绝不是一种偶然现象,也决不表明社会研究的这个方面尚处于发展过程的一个早期阶段,而毋宁是我们社会研究的性质所导致的一个必然结果。需要指出的是,这种情况乃是因这样一个事实所致,即辨识与我们的理论方案所设定的各种假设相符的真实的社会现象,往往要比理论本身还困难,因为辨识真实的社会现象乃是一门艺术,而且也只有那些已然把那些理论方案变成了其第二秉性的人才能够掌握这种技艺。我们绝不能把人们能够据以辨识某种特定类型的理论性情形的标准描述成一种简单且几乎像机械定理一般的标准,而只能够去培养某种类似于观相术的感觉。因此,我们几乎无法把应用我们知识的事情交给其他人去实施,而必须亲自去实践——我们既是医生又是生理学家。

再者,那种事实性知识(factual knowledge),亦即那种有关特定情势的知识,实是我们无法交由我们的"工程师"去掌握而唯有自己去把握的知识。需要指出的是,那种事实性知识也只是在一定程度上属于那种能够经由业已确立的方法而得以探明并加以确定的知识。尽管我们努力通过系统的研究工作来扩大有关世界和人类的知识,但是值得注意的是,在我们的知识当中,还存有另外一种认识世界的知识,亦即我们唯有通过丰富的阅历和汲取蕴含在经典名著及我们整个文化传统中的智慧的方式方能习得的那种知识——而就这种知识来说,我们所从事的那种系统的研究工作既无法取代它,亦无法使人们不再对它有所依赖。

有关一般意义上的那种认识世界的知识的必要性问题,亦即有关我们应当了解的各种人文情形及其特征的那种知识的必要性问题,我想就讨论到这里。但是我还必须就另外一个问题即那种把我们今天称之为社会科学的研究与其他人文研究相分离的做法再多说几句,因为我认为,那种把社会科学研究与其他人文研究相分离的做法导致了一种纯属不幸的后果。当然,我的这个看法并不仅仅意指诸如此类的荒谬结果,比如说,像语言学这样一种极富科学性的学科——其他社会学科完全可以从它所具有的方法和认识进路中获益的那种学科,仅仅因为纯粹的历史原因,居然被归入了人文学科的范畴之中。我所考虑的主要是这样一个问题,即我们的学术研究工作在什么样的氛围中才能得到繁荣并取得成功。换言之,我所关注的主要是这样一个问题,即那种经由研究严格意义上的人文学科(比如说文学和艺术)而营建起来的氛围,是否像一门科学的学科所确立的严格要求那般对我们不可或缺。我无法确定社会科学立志分享自然科学研究可以获得的那些荣誉和资金的做法是否始终会导致可欲的结果;同样,我也无法确定那种把社会科学从人文学科中分离出来的趋势——我们这座大楼便是这种趋势的一个标志——就肯定是一种有益无弊的事情。我不想过分强调这个问题,我很乐意承认,如果我的听众是欧洲人而不是美国人,我完全有可能会强调与此相反的观点。但是需要指出的是,当我们在一所被孤立出来的大楼里工作了25年以后再来回顾这段历史的时候,我们不应当忘记,人文学科与那种被我们誉之为社会科学的学科已经分离得太远了。

然而,我们必须承认,我们的态度在一个方面确实与人文学科学者的态度不尽相同,而且在这个方面,我们在人文学科学者的圈子里甚至还是不受欢迎的并令他们讨厌的人。这就是我们对待传统的态度,因为我们认为:第一,对于人文学科学者们培育且推进的那些传统,在某种程度上讲,我们必须始终保有一种批判的和剖析的态度;第二,对于任何一种价值,我们都必须随时对其加以质疑和进行分析,尽管毋庸置疑的是,我们决不能同时对所有的价值进行分析和质疑。既然我们的目的就是要发现特定的制度和特定的传统在社会运行过程当中所具有的作用,那么我们也就必须时时用理性这种“溶解酸”去检视那些不仅对其他人颇感亲切而且在很大程度上起着凝聚整个社会作用的价值和习惯。一如我们所知,人类经验并不是作为人的一种明确知识(explicit human knowledge)而保留下来的,而毋宁是隐含在习惯、制度、道德规范和传统习俗之中的;因此特别需要指出的是,在对这种人类经验所做的研究中——简而言之,在对人类所采取的那些作为意识不及之因素(non-conscious factors*,亦即我们往往意识不到其重要意义而且有可能永远无法充分理解的那些因素)发挥作用的适应性做法所做的研究中,我们注定要时时对那些基本原则进行质疑。几乎无须强调的是,这种做法显

---

* 所谓 non-rational,在哈耶克的自由主义理论脉络中,具有基本的认识进路的意义,他在60年代讨论理性和知识问题时也曾采用过 the non-intellectual 的说法。这个术语常常被一些汉语世界的论者同 irrational 一术语混在一起,翻译成“非理性的”;而我们必须指出,这种译法实是对哈耶克理论及其思想渊源的误读所致。哈耶克明确指出,有关人之价值的渊源的二元观——即“理性”(rational)与“本能”那种二元观——实是对事实情形的歪曲,正是在对这种二元观进行批判的过程中,哈耶克经由对苏格兰启蒙运动思想的阐发而认为,真正重要的第三种渊源既非“理性的”、亦非“本能的”,而这就是“理性不及的”(non-rational)。所谓“理性不及的”,首先是指社会进化过程中和人的日常生活中所存在的大量的为个人之理性所不及的因素;这些因素虽说为个人的理性所不及,但却在人们的生活实践中起着支配性的作用。在这些因素当中,有些甚至是人并不理解但却在行动中遵循的一般性规则——套用苏格兰启蒙哲学家亚当·福格森的话来说,这就是“人之行动而非人之设计的结果”。更为重要的是,所谓“理性不及的”,在哈耶克的知识进化论看来,还意指那些为无数代人经由各自的特殊知识与特定环境相调适而累积起来的经验和习惯等因素,因此,我们不能错误地把这些因素归之为“非理性的因素”。据此,我始终认为,将它译成“理性不及的”,最为符合哈耶克的自由主义知识论的三分观(即“理性观”、“本能观”和“理性不及观”),但是需要强调指出的是,所谓“理性不及的”,只是相对于作为整体的知识或特定事实而言的。——邓正来按

然是与那种遵循知识界流行思潮的做法背道而驰的。尽管保持激进态度肯定是我们的一项特权,但是这种情形绝不应当意指“我们高人一等”,即我们有权声称我们知道何者是未来的唯一发展方向。

如果不加以适度的限制,那么不断进行这种实践的做法就会变成一种烈酒,并会把我们弄成那种极令人讨厌的家伙。如果我们不想使自己变成主要起破坏作用的要素,那么我们还必须拥有足够的智慧去认识这样一个道理:如果没有那些我们不了解其重大意义因而我们有可能认为其无甚意义的信念和制度,我们将一事无成。只要生活继续下去,那么我们在实践中就必须接受诸多我们无力证明其为正当的东西,而且还必须遵从这样一个事实,即理性并不总是人之事务的终极裁判者。一如前述,不论我们希望与否,我们都必须在某种程度上成为哲学家;就此而言,牢记上述事实虽说不是唯一重要的一点,但却可能是主要的一点。所谓哲学,我在这里所意指的主要不是那些类似于逻辑问题那样的论题,因为那些论题已经成了高度专业化且高度专门化学科的研究论题,而毋宁是那种留存下来的尚未明确的知识体系——那些独立的学科正是从这种知识当中逐渐分离出来的,而且这种知识体系也始终是哲学家所探究的题域。但是需要指出的是,我们却不能允许自己对哲学中两个得到充分发展的分支学科一无所知:一是伦理学问题,二是科学方法的问题;因为我们知道,我们始终会碰到伦理学的问题,而且科学方法的问题在我们的研究领域中也注定要比它们在其他领域中更棘手。爱因斯坦(Einstein)曾经对科学发表过这样的看法,“没有认识论——就人们可以想象到的情形而言——科学就是原始的和混乱不堪的”;在我看来,爱因斯坦的这个看法甚至更适用于我们研究的那些科目。

我认为,我们应当对社会科学与哲学之间所存在的数个世纪的密切关系感到骄傲,而不应当对此有任何羞愧的感觉。我们可以肯定地说,英国发生下述现象绝非偶然:就经济学而言,英国在很长一段时间中一直处于领先地位,并且产生了许多伟大的经济学家;如果我们把其中的两位重要人物排除出去不做考虑*,那么这份伟大的经济学家名单就完全可以被视作是一份伟大的哲学家的名单:洛克(Locke)、休谟(Hume)、亚当·斯密(Adam Smith)、边沁(Bentham)、詹姆斯和约翰·穆勒父子(James and John Stuart Mill)、贝利(Samuel Bailey)、杰文斯(W. S. Jevons)、亨利·西季威克(Henry Sidgwick)、约翰·内维尔(John Neville)和凯恩斯(John Maynard Keynes)——无论是在经济学史中还是在哲学史或科学方法史中,所有上述学者都占据了同样受人尊敬的地位。我认为我们没有理由怀疑这样一种情况:如果其他的社会科学学科能够吸引一批相同数量的哲学人才,那么它们也肯定会有同样的收获。

然而,我在描述我们所面临的两难困境方面已经说得太多了,因此我必

---

* 值得注意的是,哈耶克在本丛书第三辑所收入的于1962年发表的《经济学、科学与政治学》一文中,明确指出了这两位重要学者的姓名,而且还对这份经济学家/哲学家的名单做出了补充:"的确,经济学家当中也有两个明显的例外,这就是伟大的经济学家大卫·李嘉图(David Ricardo)和阿尔福雷德·马歇尔(Alfred Marshall)。但是我却无法肯定,这一点难道就不能被视作是他们研究工作中之所以存在某些不足的原因吗?不过,如果我们先不考虑这两位经济学家的情形,而只提一些最为重要的人物的姓名:约翰·洛克(John Locke)、乔治·伯克利(George Berkeley)、大卫·休谟(David Hume)、亚当·斯密(Adam Smith)、杰里米·边沁(Jeremy Bentham)、萨缪尔·贝利(Samnel Bailey)、詹姆斯·穆勒(James Mill)和约翰·斯图尔特·穆勒(John Stuart Mill)、威廉姆·斯坦利·杰文斯(William,Stanley Jevons)、亨利·希季威克(Henry Sidgwick),最后还有约翰·内维尔(John Neville)和约翰·梅纳德·凯恩斯(John Maynard Keynes),那么对于哲学家来说,这样一份名单乃是一份重要的哲学家或逻辑学家的名单;而对于经济学家来说,则是一份杰出的经济学家的名单。"——邓正来注

须尽快地得出我的结论。当然,一种真正的两难困境是不可能有完美的解决办法的,而我的主要观点便是认为我们所面临的正是这样一种真正的两难困境——即我们所从事的工作向我们提出了两个相互冲突的我们不可能都予以满足的要求。我们因自身的缺陷而必须做出的那种选择,乃是一种两害相衡取其轻的选择。据此,我们很可能只有得出这样一个主要结论:第一,就解决这种两难困境而言,根本就不存在一种唯一最佳的办法;第二,我们的主要希望因而在于为唯有真正的学术自由方能使之成为可能的多样化努力保留一种空间。

然而,作为一种大学教育的规范,似乎又应当有一些一般性的原则可循。我们大家可能都同意这样一点,即迈入研究生学习阶段的学生,主要需要的是一种良好的一般教育。当然,我也一直赞同这些学生必须在此后进行一个时期的高度专业化训练(亦即在为数有限的科目中选择一个科目进行专业化的训练)。但是我认为,这种专业化的训练通常不应当持续到研究生学习的结束——如果我所得出的有关并非所有的课题性专业都适合于作为基础训练的结论为人们所接受,那么这种专业化的训练也就不能意味着研究生学业的结束。当然,许多学生会在他们接受基础训练的学科领域中继续做他们的专业研究。但是,他们实际上没有必要这样做或者他们中的大多数人没有必要这样做;至少对于那些愿意肩负更多重任的学生来说,他们应当有机会在任何可能的领域中并在合格的专家的指导下从事各种可行的融通不同知识的研究工作。对于那些想在他们自己的新领域当中做出突出贡献的人来说,他们也应当有机会去从事某种新的融通专业知识的工作或者致力于研究某种其他学科的边缘性问题。显而易见,大学中迫切需要有一个能够再次把各种专业知识聚合起来的场所,为那种并不是根据业已明确的学科方向展开的工作提供研究设施和研究氛围（而且研究的要求也很灵活，足以与个人的研究任务相适应）。在我看来，我所考察的这个领域中的整个情势似乎在呼吁建立一种“人类研究高级学院”（College of Advanced Human Studies），并且把它视作社会科学和人文学科之组织当中的一个得到公认的部分，一如我们的主席[2]极具远见且充满热情地根据他所提出的“社会思想委员会”（the Committee on Social Thought）那个开创性构想所努力创建的那种研究机构。

【注释】

[1]我讲演完以后，将由汤因比（Arnold J. Toynbee）做演讲。

[2]指奈夫教授（John U. Nef）。

关于行为规则系统之进化问题的若干评注*

——个人行为规则与社会的行动秩序之间的相互作用

一

本文评注的目的乃是要阐明我们用以描述事实的概念性工具(the conceptual tools),而不是要提出新的事实。特别需要强调的是,它们的目的还在于阐明行为规则系统(the systems of rules of conduct)与行动秩序或模式(the order or pattern of actions)之间所存在的重要区别。行为规则系统所调整的是一个群体中的个体成员(或任何一个秩序中的要素)的行为;而行动秩序或模式则是针对整个群体而言的,它源出于行为规则系统对个体成员的行为的调整过程[1]。就这个目的而言,组成该群体的个体成员是动物还是人[2],行为规则是先天的(遗传继承的)还是习得的(文化传承的),都不重要。我们知道,经由学习而进行的文化传承至少会在某些高级动物中发生,而且毋庸置疑的是,除此之外,人类还必须遵循某些先天性的行为规则。

---

* 本文译自哈耶克著:*Studies in Philosophy,Politics and Economics*,The University of Chicago Press,1967,pp. 66 ~ 81。

因此,这两类规则常常是互动的。在本文中,我们应当明确地牢记这样一个要点,即"规则"(rules)* 这个术语乃意指这样一种陈述——亦即我们能够据以描述个人行为常规性(a regularity)的那种陈述,而不论这样一项规则是否为个人所"知道",只要个人在一般情况下能够根据该项规则行事即可。就此而言,这里存在着这样两个问题:早在个人有能力用文字陈述这类规则进而有能力以明确的方式传播它们以前,这类规则是如何经由文化传承的?或者,个人是如何"根据类推的方法"("by analogy")从具体的事例中习得抽象规则的?显而易见,这两个问题乃是颇具意义的问题,然而我却不打算在本文中对它们进行讨论。

个人行为的规则系统与那种从个人依据它们行事的过程当中而产生的行动秩序,并不是同一事情。这个问题一经得到陈述,就应当是显而易见

---

* 这里需要指出的是,在1960年以前,哈耶克甚少使用"规则"(rule)这个术语。事实上,他在《感觉秩序》(*Sensory Order*,1952)一书中就是试图不用"规则"这个术语来讨论认知心理学的问题;只是在1960年出版的《自由秩序原理》一书中,他才开始大量使用这个术语,但却很少对这个术语进行限定。此后,他开始对此进行限定,称之为"行动规则"(rules of action);而到1967年,他又用"行为规则"(rules of conduct)替代了这个术语,并在其后的著述中一直使用这个术语。显而易见,这个问题绝非只是一个语义学的问题。因为第一,从哈耶克于1967年所发表的这篇论文的副标题"个人行为规则与社会的行动秩序之间的相互作用"(The Interplay between Rules of Individual Conduct and the Social Order of Actions)来判断,我们可以发现他经由对此一术语的征用而达致了对"个人行动者遵循的行为规则"与由此而产生的"社会行动秩序或整体性秩序"的明确界分;第二,根据我的研究,在(20世纪)60年代以前,哈耶克因其"知"意义上的知识观的支配作用而无法在其实质性社会理论的研究中对"规则"的问题进行详尽探究,只是在他的知识观发生了转换以后才具有了这种可能性,并在此基础上实现了从具体的"行动规则"(rules of action)到一般且抽象的"行为规则"(rules of conduct)的转换,并且达致了"规则研究范式"的确立。——邓正来按

的，尽管这两种秩序在事实上经常被人们所混淆[法学家因为用“法律秩序”(order of law)这个术语同时指称上述两种秩序而特别容易将它们二者混为一谈]。实际上，并不是每一种个人行为的规则系统都会在一个由个人组成的群体中产生某种整体性行动秩序的(an overall order of the actions)。此外，一种特定的个人行为规则系统是否会产生一种行动秩序以及会产生何种类型的行动秩序，亦将取决于个人行事时所处于的那些环境。这方面的经典事例乃是热力学第二定律(the second law of thermo-dynamics)，亦即熵原理。在这个事例中，各要素行为的那种常规性就导致了“绝对的失序”。显见不争的是，在一个生物群体中，许多可能的个人行为规则也都可能导致失序甚或使该群体本身的生存变得不可能。一个由动物或人组成的社会总是由一些遵循那些会在他们生活的环境中产生一种行动秩序的共同行为规则的个体组成的。

对于理解动物社会和人类社会而言，我们在上文指出的行为规则系统与行动秩序或模式之间所存在的那种区别有着特别重要的意义，因为行为规则的**遗传继承**(而且在很大程度上也包括文化传承)乃是发生**在个人之间的**，而那种被称之为规则的自然**选择**(the natural selection of rules)则是在由此产生的**群体秩序**所具有的功效是大还是小的基础上展开的[3]。为了实现本文讨论的目的，我们将根据不同种类的要素或个体所遵循的行为规则来界定那些作为群体之组成部分的不同种类的要素或个体，并且把这些个人行为规则中所出现的一种可传承的“突变”视作是新要素或个体的出现，或者把它视作是该群体所有要素或个体在特征上所发生的一种渐进变化。

二

对群体的行动秩序与个人的行为规则进行界分的必要性，还可以进一步得到下述考虑的支撑：

第一，人们在不知道那些致使某种特定的行动秩序得以产生的个人行为规则的情况下，就能够观察到并描述出这种特定的行动秩序；而且至少可以想见的是，不尽相同的个人行为规则系统有可能产生出相同的整体性行动秩序。

第二，同一种个人行为规则系统在某些情形中会产生某种特定的行动秩序，但是在另外一些外部环境中却无法做到这一点。

第三，对于一个群体的维续而言，重要的并不是分立的个人的行动之常规性，而是那种因个人遵循规则而产生的整体性行动秩序；此外，一种特定种类的整体性秩序也会以一种相同的方式有助益于该群体成员的生存，而不论促成这种整体性秩序的是何种特定的个人行为规则。

第四，不同的个人行为规则的进化选择乃是经由它所产生的那种秩序所具有的生存能力而展开的；此外，任何特定的个人行为规则，作为一套个人行为规则的一部分或者在某些外部情形中，有可能被证明是有助益的，但是作为另一套规则的一部分或者在另一些外部情形中，却有可能被证明是有害的。

第五，尽管在适当的情形中产生的这种整体性行动秩序是受某些规则支配的许多个人的行动的共同产物，但是需要指出的是，这种整体性行动秩序肯定不是个人行动的有意识目标，因为个人并不拥有任何有关这种整体性秩序的知识。因此，指导个人行动的并不是个人对在某个特定时刻维续或恢复整体性秩序所需要的条件的意识，而是抽象规则。

第六，具体的个人行动始终是由下述因素共同促成的一种结果：一是内在刺激（比如说饥饿）；二是对个人产生影响的特定的外部事件（包括该群体中其他成员的行动)；三是适用于特定情势的规则。据此我们可以说，一个群体中不同的个体成员在行事的时候所遵循的那些规则有可能是不同的，其原因既可能是内在的驱动力或对这些成员有影响的外部情势致使不同的规则得到了适用，亦可能是不同的规则乃是根据年龄、性别或者每个个人在特定时刻所置身于其间的某种特定境况而适用于不同个人的。

第七，特别重要的是我们必须始终牢记：首先，一项行为规则本身从来就不是行动的一个充分原因；其次，促使个人采取某种特定行动的诱因或者始终源出于某种特定的外部刺激，或者始终源出于一种内在的驱动力(通常情况下乃源出于外部刺激与内在驱动力的混合作用)；最后，行为规则始终只是作为一种对那些由其他原因促成的行动进行制约的力量而发挥作用的。

第八，从一般的情形来看，行动系统的有序性显见于这样一个事实之中，即不同个人的行动可以得到协调或彼此调适，以至于他们行动的结果将消除原初的刺激因素或者使那种作为行动之原因的驱动力不起作用。

第九，当然，整体的有序性与任何个体部分之行动的常规性之间的差异，也可以见之于这样一个事实，即一个整体可以在任何特定个人要素的行动没有表现出任何常规性的情况下得到有序化。比如说，如果一个权力机构能够命令并控制所有特定的行动并且可以随意(比如说抓阄)选择个人去实施他们必须在某个特定时刻实施的任何一项行动，那么它就可以使整体达致一种秩序。在这样一种群体中，完全有可能存在一种得到人们公认的秩序。当然，这乃是在这样一种意义上所言的，即某些特定的角色始终是由某些人担当的。但是在这种秩序中，指导任何一个个人(也许除了发布命令的权力机构以外)的行动的任何行为规则都不可能得到形成。此外，在这样一种群体中,任何一个个人所采取的行动,也都不是经由一项规则而从该个人所具有的任何内在欲求或任何对他产生影响的外部情势中(除了该群体的组织者下达的命令以外)产生出来的。

三

就个人行为规则能够产生一种整体性秩序而言,最容易观察到的乃是这样一些事例,其间,这种秩序会表现为一种空间模式。比如说发生在一群动物或一群人行动、防御或狩猎等活动中的那种空间模式。大雁在迁徙时所排成的人字形队列、野牛群在遭到攻击时所围成的防御圈,以及雌狮子驱赶猎物并由雄狮子杀死猎物的那种方式,都属于这个方面的简单事例。在这些事例中,协调那些分立个体行动的,很可能不是个体对整体模式的意识,而是某些有关如何应对即时性情势的规则。

更具启示意义的乃是我们在诸如蜜蜂、蚂蚁、白蚁这类昆虫世界中发现的那种以劳动分工为基础的抽象且较为复杂的秩序。在这些事例中,恐怕没有人会把个体活动的变化归因于某种中央的控制,或者归因于个体“洞见”到了整体性秩序在某个特定时刻所提出的要求。但是,假如说我们只知道一些比较简单的个人行为规则的话,那么毋庸置疑的是,一只工蜂在其工作的不同阶段所实施的连续性的劳作——当然还不时地会根据情势的需要而改变这些阶段的时间长短[4](当蜂箱“需要”的时候,显而易见,工蜂甚至还会重新回复到已然经过的阶段去),乃是可以用这些比较简单的个人行为规则加以解释的。与此相同,白蚁所建立的那些精致的结构,亦即艾默生(A. E. Emerson)以一种极具启示的方式所描述的那种遗传结构[5],最终肯定可以用那些我们在很大程度上并不知道的先天性个人行为规则加以说明。

从另一个角度来看,当我们关注原始人类社会的时候,我们会发现,与探寻那种因人们遵循个人行为规则而产生的往往是高度抽象的整体性秩序相比较,探明并确定个人行为规则一般来讲是比较容易的。然而现在,一如我们所知,个人常常有能力告诉我们在不同的情势中何者是他们认为合适的行动,尽管只有在某些特定情势中他们才有能力做到这一点,而且也没有能力阐明他们据之行事的那些规则[6]。但是需要指出的是,只有在我们重构了那种由个人根据那些规则采取的行动所产生的整体性秩序以后,我们才会有能力发现那些规则所具有的“作用”。众所周知,个人一般都会遵循那些调整亲属关系、近族通婚关系、财产继承关系等问题的规则,但是个人却完全有可能对那种因其遵循这类规则而产生的整体性秩序或者该整体性秩序具有什么样的作用等问题毫无所知。然而,生存下来的物种中的所有个体之所以按照这种方式行事,实是因为那些按照这种方式行事的个体组成的群体淘汰了那些没有按照这种方式行事的群体*[7]。

---

* 这里值得我们注意的是,哈耶克根据“群体有效生存和维续”而非个人利益对规则系统的文化进化所做的上述解释,显然与他在阐释作为行动结构的自发社会秩序时所主张的个人主义的“看不见的手的解释”极不相同,尽管在哈耶克的论述中,有时候人们也的确能够发现这样一种个人主义的进化论论述,例如,哈耶克认为个人可以通过违背传统规则和通过实验新的做法,而像发明者那样生成出“新的变量”,而这些变量有可能在社会共同体中变成新的行为常规性,并在与传统的和其他新的行为方式的竞争中通过该群体中越来越多的个人的模仿而胜出。据此,在哈耶克的论述中似乎存在着一种“群体主义”论式与“个人主义”论式之间的紧张。但是,我个人以为,哈耶克论述中的这种看似“紧张”的问题,实际上所涉及的乃是方法论在研究对象发生变化的情形中是否应当保持一贯的问题(参见,N. Moldofsky, *Order: with or without Design*? The Centre for Research into Communist Economics, 1989, pp. 30～31),亦即个人主义的论式与哈耶克所试图解(接下页注)

四

一个群体中的整体性行动秩序,从下述两个方面来看,要大于我们可以在个体行动中观察到的那些常规性的总和,因此我们绝不能把这种整体性秩序完全化约成个体行动中的那些常规性。这种整体性行动秩序不仅符合人们在日常意义上所讲的整体大于**整体各部分之和**的说法,而且还预设了这些要素或个体乃是按照一种特定的方式彼此联系的[8]。此外,一个群体中的整体性行动秩序之所以大于我们可以在个体行动中观察到的那些常规性的总和,还因为那些对于整体的存在具有至关重要意义的关系,并不能够由部分之间的互动关系得到完全的说明,而只能够由它们与作为外部世界的个别部分之间的互动关系以及它们与作为外部世界的整体之间的互动关系给出说明。如果某种特定类型的结构(也就是说表现出了某种特定秩序的结构)反复出现且持久维续,那么其原因就在于各要素或个体乃是按照一种促使这种秩序得到维续或恢复的方式去应对它们有可能遭遇到的各种外部影响的;而反过来看,个体维续自身生存的机会也是以这种秩序为基础的。

(接上页注)释的文化进化的规则类型是否相容的问题。的确,如果有关规则是成功者个人的诀窍和准则,那么个人主义论式就会极具意义,但是哈耶克所要解释的规则系统并不是这类个人性的规则,它们所旨在调整的并不是纯粹的私人行动,而是个人在社会中的互动。因此,我们很难说这些规则可以经由个人实验的方式而得以确立,哈耶克本人对此也确认无疑:"在这类情形中,任何个人试图凭据理性而成功地建构出比经由社会逐渐演化出来的规则更具效力的规则,都是不可能的;退一步讲,即使他成功地建构出了这样的规则,那么也只有当这些规则得到所有人遵守的时候,这些规则方能真正发挥其效力并有助于其目的的实现。"(参见哈耶克:《自由秩序原理》,邓正来译,三联书店 1997 年版,第 77 页)——邓正来按

据此我们可以说,只有在普遍存在着行为规则旨在调整的那种情势的特定机会的环境中,任何特定的个人行为规则系统才会形成一种稳定的结构(表现出一种“自我”控制的结构)。只要想把整体维续下去,那么环境的变化就会要求该群体中的秩序发生某种变化,从而也会要求个人行为规则发生某种变化。此外,个人行为规则自生自发的变化以及由此产生的那种秩序所发生的自生自发的变化,也能够使该群体得以在它不做出这种变化就会走向灭亡的那些情势中继续生存下去。

上述讨论的目的主要是为了阐明这样两个问题:第一,行为规则系统乃是作为整体发展的,或者说进化的选择过程将对整个秩序产生影响;第二,一项新规则——与该群体所具有的所有其他的规则结合在一起并且在该群体所处于的那种特定环境中——究竟会增加还是会削弱整个群体的实力,将取决于这类个人行为所会导向的那种秩序。由此我们还可以得出下述两项推论:第一,一项在一种情形中有可能被证明具有危害的新的个人行为规则,有可能在另一种情形中被证明是具有裨益的;第二,一项规则发生的变化有可能使其他在此前具有危害的那些变化(无论是行为的变化还是身体的变化)变得颇有助益。因此,即使是那些文化传承的个人行为模式(或者由此产生的该群体的行动模式),也可能对行为方面的遗传变化或身体方面的遗传变化的选择起到至关重要的作用[9]。

显见不争的是,个人行为规则与其他个人行动和外部环境在型构一种整体性秩序过程中所发生的这种互动关系,很可能是一种高度复杂的现象。社会理论的整个任务都只在于这样一种努力,即重新解释那些以这种方式形成的整体性秩序,并且阐明为什么那种特殊的概念建构工具对于社会理论来说是必需的——而这也正是这项任务的复杂性之所在。还有一点也是显而易见的,即这样一种独特的解释社会结构的理论只能够对不同类型的结构所具有的某些一般且高度抽象的特征[或者这些结构的"性质方面"(qualitative aspects)]做出解释,因为某一特定类型的所有结构所共同具有的仅仅是这些抽象的特征,因而也是它们唯一能够做出预测的因素——或者说,唯有这些抽象的特征可以为人们的行动提供有效的指导*。

在这类理论当中,经济学理论亦即那种解释自由社会之市场秩序的理论,乃是迄今为止唯一经过长期系统发展的理论,而且与语言学一起,也许还是极少数因研究对象特别复杂而需要有这种解释的理论之一。需要指出的是,尽管整个经济学理论(我认为也包括整个语言学理论)只能够被理解成一种旨在重新解释那种从个人行动常规性当中所产生的秩序之特征的努力,但是我们却很难说经济学家们都充分意识到了这就是他们正在从事的工作。作为形成整体性秩序之前提的不同种类的个人行为规则的性质(一些是人们自愿而且是在不意识的情况下遵循的规则,而另一些则是强制实施的规则),往往被人们所忽视[10]。因此,在这些个人行为规则当中,哪些规则能够以一种刻意且有助益的方式得到修正以及哪些规则可以经由或者不能经由诸如立法这种刻意的集体决策而得到逐渐演化和发展这类重要的问题,也甚少得到人们系统的思考。

五

尽管一个群体的行动秩序的存在和维续只能够从个人所遵循的行为规则方面做出说明,但是这些个人行为规则之所以会得到发展,却是因为个人

---

* 关于这个问题,请参见本丛书第二辑所收录的哈耶克长达 8 年的研究成果:1955 年发表的《解释的程度》和 1964 年发表的《复杂现象理论》。——邓正来注

始终是在那些结构逐渐变化的群体当中生活的。换言之,个人所拥有的对于该群体的存在和维续具有至关重要意义的那些特性,以及那些由此而对个人本身的存在和生存都至关重要的特性,乃是从一些生活在群体中的个人当中选择出来的个人特性构成的,因为这些个人在该群体进化(evolution)*每个阶段上都倾向于根据某些可以使该群体变得更为有效的规则去行事。

---

* 有关 evolution 这个术语,一般的译法为"进化"或"演化";一些论者考虑到"进化"这个术语所具有的贬义而不赞同在理解哈耶克的自由主义理论时采用这个术语,而主张采用"演化"的译法。然而需要指出的是,一方面是由于哈耶克认为社会秩序乃是经由简单(低级)向复杂(高级)的进化;另一方面则是由于哈耶克明确认为"达尔文理论的纲领只能在极为有限的意义上被适用于制度和惯例的选择以及个人所具有的那些以文化方式传播或存续的能力的选择等问题,而且将该理论刻板地适用于社会现象的解释也会导致各种严重的扭曲,然而基本的进化观念在这两个领域中却还是一致的",所以我经由斟酌,还是主张将哈耶克论著中的 evolution 翻译成"进化"。当然,在我们理解哈耶克的"进化观"的时候,我们至少应当注意下述三点:(1)哈耶克的进化观与"社会进化论"之间的区别:前者所侧重关注的乃是制度和惯例的选择和个人所具有的那些以文化方式传播或存续的能力的选择,而后者所关注的则是个人的选择和个人与生俱来的能力的选择;(2)尽管哈耶克与穆勒都赞同人之生活只是在活动过程中展示其价值的,但是他们的"进化"观或"进步"观又存在着明显的区别:穆勒强调说,这是因为有东西(即幸福或满足)在这种活动过程中得到了展示,而哈耶克却认为活动本身就是价值,或者说,人之生活的价值在于个人所进行的"自由尝试"或"自由学习"的活动之中,在于追求特定目的的过程之中,因此,这种个人自由活动得以可能的状况,就是"进化"的状况;(3)也是最为重要的,哈耶克一再强调说,自由的进化状况本身就是可欲的,而不是因为它使人们能够达致的目的状态或目标是可取的。为此,哈耶克追问道,究竟谁能断言由进化而带来的新的事态肯定是一种"较好的状态"或"一定比旧的事态更能满足我们的需求",而我们之所以无力做此一断言,其原因就在于"我们的希望和目的在进步过程中也会发生种种变化"(哈耶克:《自由秩序原理》,邓正来译,三联书店 1997 年版,第 45 页)。——邓正来按

因此,只要我们想对任何一个时期的社会秩序运作情形做出解释,那么我们就必须始终把个人行为规则假定为是给定的。然而,这些规则却始终是人们根据它们对该社会秩序的作用而选择出来并加以确定的。再者,一如我们所知,由于心理学并不满足于只描述个人事实上所遵循的规则,而是要进一步解释个人为什么遵循这些规则,因此,至少很大一部分心理学的内容会变成进化论的社会心理学(evolutionary social psychology)。换言之,尽管社会理论乃是根据任何时候都被假定为给定的行为规则来解释社会秩序的,但是值得我们注意的是,这些行为规则本身却又是作为一个更大整体的一部分而发展起来的,而且在这种发展的每个阶段上,当时普遍盛行的整体性秩序都决定着个人行为规则的任何变化所可能具有的作用。

尽管我们不可能在这里对心理学与社会理论间的关系做进一步的探究,但是需要强调的是,如果我们再多费些笔墨对下述两种秩序之间的差异做一番讨论,那么我认为,这对于我们实现本文的主旨来说,只会有益而无弊:一种是经由诸如大脑这类中枢器官发出的指令而实现的秩序,另一种是由一个结构中各个要素或个体所采取的涉及彼此的行动的常规性所决定的秩序。迈克·博兰尼(Michael Polanyi)曾经以一种极具启示意义的方式把这两种秩序间的差异称之为一种一元中心的秩序(a monocentric order)与一种多元中心的秩序(a polycentric order)之间的差异[11]。就此而言,值得我们注意的最为关键的一个要点是:一个生物体的大脑乃是作为该生物体的中枢指令器官起作用的,但是大脑本身反过来又是一种多元中心的秩序。这就是说,大脑的行动乃是由组成它的各个要素之间的关系和彼此间的调适所决定的。

由于我们都倾向于认为,不论我们在哪里发现一种秩序,那么这种秩序就必定是由一个中枢器官所指导的（而如果我们把这种看法适用于大脑，那么显见不争的是，我们的这种做法就会导致无尽的退步），所以，如果我们能够简略地考虑一下“一种这样的多元中心秩序作为整体的一部分而调整着其他部分的行动”这样一个事实所具有的好处，那么我想会是大有助益的。这个好处在于它为我们开放出了这样一种可能性，即我们有可能在整个生物体采取行动之前事先就根据一种模式而对各种可供选择的行动组合进行试验并从中选出最具助益的行动方案。如果一种复杂的行动模式事先没有为另一个中心所确立而且此后也没有受它指导的话，那么这些复杂行动模式当中的任何一种行动模式就没有理由不是由各部分间的直接互动关系所决定的。大脑的独特性就在于：它可以产生一种典型的模式，而依据这个模式，人们可以事先就对那些可供选择的行动及其结果进行试验。在很大程度上讲，大脑指导的那种结构所具有的各种可能的行动模式，其数量可能与该大脑事先能够想到的那些可能的行动模式的数量一般多；但是需要指出的是，如果实际情况是它不得不在根据一种模式对其所采取的那项行动进行试验之前就采取那项行动的话，那么它就可能只有在自己无能为力并且遭到摧毁的时候才会发现它所造成的有害结果。从另一个方面来看，如果人们事先就根据一种模式在为了这个目的而被刻意留存出来的一个独立部分（亦即整体当中的一个独立部分）中对这种行动进行实验，那么并不是实际结果而是一种被人们所期望的那种结果的呈现，将会起到告诫人们“不应当采取某项特定行动”的信号的作用。

据此我们可以说，一个多元中心的秩序（其间的每个要素或个体都只受某些规则的指导而不接受由一个中心所发布的任何命令）没有理由不能够根据这样一种系统中所可能产生的各种情势而做出一系列极其复杂的、有着明显“意图”的调适；当然，在这样一种系统中，有一个部分是专门供人们在更大的结构把某项命令付诸实施之前事先根据一种模式对这项命令进行考虑和试验的。就整个结构所具有的各种自组织力量即刻就能够使人们采取某种正确的行动（或者能够使人们采取某种尝试性的行动：亦即在还没有造成太大危害之前就可以被制止的那种行动）而言，这样一种单级秩序（single-stage order）未必就不如一种等级秩序（a hierachic order）——在这种等级秩序中，整体仅仅实施那种事先在部分中得到试验的行动。这种无等级的秩序没有必要先把其间的独立个体在行事时所依凭的所有信息都传递给一个共同的中心，因此可以想见的是，这种无等级的秩序有可能使用的信息也要比能够传递给一个中心并由它去处理的信息多得多。

尽管人类社会这类自生自发的秩序常常会产生一些与大脑所可能产生的结果颇为相似的结果，但是型构这类秩序所依凭的原则却与那些调整大脑与它指导的生物体间的关系的原则迥然不同。尽管型构大脑所依凭的原则有可能与型构一个社会所依凭的那些原则颇为相似，但是社会毕竟不是大脑，而且也决不能被视作是一种“超级大脑”，因为在社会中，起作用的部分与其他部分乃是相同的——尽管它们之间业已确立的关系决定着这个结构，而且型构秩序的任务也不是委托给任何一个事先就构想出一种模式的部分去实施的。

六

诸如银河系、太阳系、有机体以及社会秩序这类有序化的结构，在各种各样的情势中都表现出了某些共同的特征，而且作为整体，它们还遵循着某些不能被完全化约成各个部分之常规性的常规性；而那些常规性之所以不能被化约成各个部分的常规性，实是因为它们还取决于整体与环境之间的互动——这种互动不仅把部分置于了整体之具体行为所必需的那种秩序之中，而且还维续着这种状况。的确，上述有序化结构的存在，给那种旨在发现“普遍的自然法则”的科学方法论造成了某些相当棘手的困难。尽管人们有理由认为，这类结构在一种可以限定的环境中始终会稳定地运行。但是值得注意的是，这类结构的存在事实上不仅取决于那种环境，而且还取决于过去存在过的许多其他环境——实际上是取决于这些环境之间所存在的一个明确的序列，尽管在宇宙的历史进化过程中，这些环境在造就那种秩序的方面只成功过一次。因此，那些关注这类复杂结构的理论学科乃是以这样一种情形作为研究对象的，而我们知道，这个对象之所以能够存在，却完全是因为事实上独特且不会再发生的那些环境（以及由它们所决定的一种进化过程）所致，尽管从理论上讲它们是可以重复的。结果，那些支配着这些复杂结构之行为的法则，尽管“从理论上讲是普世有效的”（而不论这意味着什么），事实上却只能够适用于那些得以在宇宙的某个特定时空中所发现的结构。

显而易见，地球上之所以存在生命体，实是因为那些唯有在地球历史的早期阶段所普遍存在的独特条件中才可能发生的事件所致。因此，我们生存于其间的这种社会的存在，甚至我们人类的思想方式的存在，也都可能是由我们人种进化过程中的某些阶段所决定的，而我们知道，如果没有那些阶段，那么不论是现存的秩序还是现存的个人心智都不可能产生。据此我们可以说，我们永远都无力把自己从人种进化过程的那些阶段当中彻底解放出来。我们只能够在一种意见和价值的框架内来判断和修正我们所有的观点和信念。尽管这些意见和价值会逐渐地发生变化，但是它们对于我们来说却是那种进化过程的一种给定的结果。

然而需要指出的是,有关这类结构的形成问题,仍是一个理论问题,而不是一个历史问题,因为它所关注的乃是一种事件序列当中的某些因素;当然,这些事件从理论上讲是可以重复的,尽管在进化过程中它们实际上只发生过一次。我们可以把对这个问题的回答称之为“推测性史学”[实际上现代社会理论的大部分内容都源出于18世纪思想家所称之为的推测性史学(conjectural history)],而前提条件是我们能够清醒地认识到,这种“推测性史学”的目的并不旨在说明某一独特事件所具有的全部特定性质,而只是旨在说明那些在可以被重复的条件下能够以相同的组合方式再次得以产生的特性。在这个意义上讲,推测性史学乃是对一种假设性过程的重构:人们也许从来就没有见过这种过程,但是如果它发生的话,那么它就会产生我们可以观察到的那种现象。有关发生过这样一个过程的假设,也许可以通过探寻那些从这个过程当中产生的尚未被人们观察到的结果的方式而得到验证,而且也可以通过追问这样一个问题即我们所发现的所有相关的常规性结构是否都能够经由这一假设得到说明的方式而得到检测。

正如卡尔·门格尔(Carl Menger)所明确认识到的那样,在复杂现象领域当中,**“这种遗传性要素是与理论科学的理念不可分割的”**[12]。换言之,复杂现象理论所关注的那些结构的存在,唯有通过自然科学家所称之为的宇宙论(a cosmology)——亦即关于那些结构进化的一种理论——才能够为人们所理解[13]。有关银河系或太阳系是如何形成的问题,以及有关它们产生了什么样的结构的问题,在很大程度上讲,与其说是力学的问题,不如说更像是社会科学所必须直面的问题。由此可见,对于理解社会科学的方法论问题来说,对地质学或生物学方法的研究显然要比对物理学方法的研究具有更大的启示性。在所有上述领域中,它们所研究的结构或稳态——亦就是它们所关注的那些对象——虽说在某个特定的时空中会出现在无数的情形中,但是却唯有通过对那些并不是这些结构本身之特性的情势而是这些结构在其间存在并发展的特定环境的情势进行探究才能够得到充分的说明。

七

社会与那些构成要素比较简单的复杂结构不同,这是因为社会的构成要素本身就是复杂结构——只有当这些要素属于一种更为宽泛的结构的一个部分的时候,它们才可能具有存续的机遇,至少它们存续的机遇才有可能得到增进。在这里,我们必须讨论两个不同水平上的整合问题[14]:一方面是那种有助于维续较低水平的有序结构的较为宽泛的秩序;而另一方面则是唯有通过它对整体性社会秩序的影响才有助于个体生存前景的那种在较低水平上决定个体行为常规性的秩序。这意味着拥有某种特定结构和行为的个体之所以能够以这种形式存在,实是以一个具有某种特定结构的社会为依凭的,因为只有在这样一种社会中,它才有助于使它所特有的某些特征得到发展,尽管社会秩序反过来又是个体在社会中发展出来的那些行为常规性的一个结果。

这意味着一种因果关系的转换,即拥有一种秩序的结构之所以能够存在,实是因为诸要素或个体所做的事情正是确使该秩序得以存续所必需的。"终极原因"或"目的"——亦即部分根据整体的要求所做的调整——成了人们对这类结构为什么得以存在这样的问题所做的解释中的一个必要的组成部分:我们必须从要素或个体所采取的某种行事方式极可能使整体得到维续这个角度来解释要素或个体按照这种方式行事的事实——这是因为个人的维续取决于整体的维续，换言之，如果个体不按照这种方式行事，那么他们也就无法生存下去了。由此可见，一种“目的论”的解释是完全适当的，只要它的意思不是指一个创造者做出的设计，而仅仅是承认：第一，如果这种结构没有按照一种有可能产生某些结果的方式运行的话，那么它就无法长期生存下去[15]；第二，这种结构乃是通过每个阶段所盛行的那些行事方式而得以进化的。

我们之所以不愿意把这样的行动称之为有目的的行动，其原因就在于由这些行动而形成的那种秩序在任何意义上都不是个人（即作为行动者的个人）“目的的一部分”或其动机的一部分。直接原因，亦即促使人们行事的驱动力，乃是某种只对他们产生影响的因素。此外，只是由于人们在行事的过程中会受到规则的约束，所以一种整体性的秩序才得以产生，尽管他们遵循这些规则所导致的结果乃是他们根本不知道的甚或也不是他们所意图的。套用亚当·斯密的经典文字来说，人“乃是在某种因素的引导下促成或实现一种并非其意图的目的的”[16]，正如动物在保护其领地的时候根本就不知道它的这种做法会有助于调整其物种的数量一般[17]。的确，正是我在其他一个场合所称之为的“秩序的自发型构与进化这一对孪生观念”[18]，亦即孟德维尔（Bernard Mandeville）、大卫·休谟（David Hume）、亚当·福格森（Adam Ferguson）和亚当·斯密（Adam Smith）等思想家所做出的伟大贡献，为我们在生物学理论和社会理论中理解要素或个体的行为常规性与由此产生的结构的常规性之间的互动关系开辟了一条道路。当然，就此而言，他们也有不曾阐明的问题（甚至社会理论在此后的发展过程中亦没有充分阐明这个问题），而这个问题就是：正是要素或个体的行为所具有的某种常规性始终会在与环境的互动过程中使整体产生某种完全不同的行动常规性。

早期的论者们为达致这种认识所做的共同努力,对现代法理学的发展产生了很大的影响;但是,这些努力却认为个人行为规则乃是与事物本性(the natura rei)相符合的。这意味着整体性秩序会受到任何一项个人行为规则的变化的影响——其结论是任何一项个人行为规则的这种变化所具有的影响只有通过理解所有决定着这种整体性秩序的因素才能够得到评估。这个方面的真正要义乃在于:规范性规则(the normative rules)往往有助于使一项行动与一种作为事实而存在的秩序相调适。我们认为,在任何个人行动的常规性以外,始终还存在着这样一种秩序,亦即特定规则旨在实现而且每一项新规则都必须与之相符合的那种秩序*;但是必须指出的是,唯有专门研究那种整体性秩序之型构的理论才可能提出上述洞见。

---

* 哈耶克关于这个问题的讨论,显然涉及了法理学中的"法律目的"的论题,而且还为哈耶克本人在此后建构他的法律理论提供了一个基础。值得我们注意的是,哈耶克在此后的研究中一方面强调法律服务于一个目的即"实现和维护抽象秩序的条件";而另一方面又强调说他所谓的法律目的不同于其他主张目的为法律核心特征之论者的观点。哈耶克指出:"关于法律的'目的'所存在的上述两种不同的观念,在法律哲学历史上可谓是极为凸显。从伊曼纽尔·康德对正当行为规则'无目的'性的强调,到边沁和耶林(Ihering)等功利主义者视目的为法律核心特征的观点,目的这个概念所具有的含混性始终都是导致观点分歧和冲突的持续根源。如果'目的'指的是特定行动的具体且可预见的结果,那么边沁的特定论功利主义(the particularistic utilitarianism)就肯定错了。但是,如果我们把这样一种旨向纳入'目的'的含义之中,即旨在实现一些有助益于形成那种无从预见其特定内容的抽象秩序的条件,那么康德对于法律目的的否定,只有就某项规则被适用于某个特定情势而论才是合理的,但是对于整个规则系统来说,康德对法律目的的否定则肯定是没有道理的。然而,休谟则强调指出,我们应当关注整个法律系统的功能,而无须考虑他们的具体结果;休谟的这个核心洞见当能够使此后的论者不再受困于这种混淆。"(参见哈耶克:《法律、立法与自由》第一卷"规则与秩序",邓正来等译,中国大百科全书出版社 1999 年版,第 177 页)——邓正来按

八

在本文结束的时候,我还想再就那些除了以先天的(遗传继承的)规则为基础以外还以习得的(文化传承的)规则为依凭的社会秩序所具有的某些特性做些简要的讨论。人们在遵循这些习得的规则的时候极可能不是很严格的,因而需要某种持续性的外部压力才能够确使个人持续遵循它们。如果根据这些规则行事可以被视作是承认某人为某群体成员的一种标志,那么这种外部压力就可以在某种程度上得到维续。如果一个人的异常行为致使该群体其他成员拒绝接受他,而且遵循这些规则也是他与其他成员进行成功合作的一项条件,那么该群体维护一套业已确立的规则所需要的有效压力就可以得到维续。将某人驱逐出群体的做法,很可能是人们为了确保群体成员遵循这些规则而采取的最早且最为有效的制裁或"惩罚"手段:群体最初只是在事实上把那些不遵循规则的个人驱逐出该群体而已,到了晚些时候,亦即在知识发展的较高阶段上,害怕被驱逐出该群体的情况才具有了一种威慑作用。

这种习得的规则系统很可能会比一种先天性规则系统具有更大的弹性,因此我们有必要再对习得的规则系统据以变更的过程做一番讨论。这个过程实是与个人经由模仿而习得如何遵循抽象规则的那种过程紧密勾连在一起的;对于这个过程,我们可以说是知之甚少。影响这个过程的一个因素就是该群体内部所存在的那种控制秩序。在这种秩序中,一方面,对那些仍在学习过程之中并被接受为该群体成员的年轻人存有一种较大的宽容度,当然,这并不是因为他们已然习得了该群体所特有的所有规则,而是因为作为直系子女,他们是依附于该群体中特定的成年成员的。另一方面,该群体当中则是一些占据支配地位的年长成员,他们恪守自己的行事方式,而且也不可能改变自己的习惯,但是他们的地位却又能够使他们做到这样一点,即如果他们确实采取了新的做法,那么他们与其说是会被驱逐出该群体,倒不如说是会得到其他人的模仿。因此毋庸置疑的是,这种等级秩序实是人们在决定什么样的变化会得到容忍或会得到传播的过程中的一个重要因素,尽管这未必意味着这些规则的变化始终都是由那些身处高位的人士发起的[19]。

然而值得我们注意的是,倾向于根据业已确立的规则行事以及害怕因违反这些规则所导致的那些后果,与那种把这些规则归因于一种人格化存在(而不论他是人还是超自然力量)的意志或者是归因于人们害怕这种人格化存在所会施以的惩罚的解释相比较,很可能要更为悠久,而且也更为基本。从一般情况来看,这个问题还没有得到人们的足够重视,因此我们应当对此予以更多的关注。在一定程度上意识到世界有着某种常规性,亦即在一定程度上意识到周遭环境中已知且可预见的那部分事件与未知且不可预见的那部分事件之间所存在的差异,必定会使人们倾向于采取其后果是可以预见的那类行动,并且害怕其后果是不可预见的那类行动。尽管在一种按照泛灵论解释的世界中,这种害怕有可能变成一种对那种其意志不知为何物的力量所施以的惩罚或报应的害怕,但是这样一种对未知或异常行动的害怕却肯定早在此之前就已经在促使个人恪守那些可靠的旧有的行事方式方面发挥作用了。对环境所具有的某些常规性的认识,会使人们倾向于采取他们能够明确预见到某些后果的那些行为,也会致使人们不愿意去做他们不熟悉的事情,并在做了这样的事情以后感到害怕。这样,我们也就在人们有关客观世界中存在着规则的知识与他们不愿意违反人们在实际行动中共同遵循的规则的倾向之间确立了某种关系,因而也就在他们确信事务遵循规则的信念与他们认为一个人“应当”在其行事的时候遵循规则的感觉之间确立了某种关系。

我们有关事实的知识(尤其是有关那种复杂的社会秩序——我们在其间的活动就像我们在自然秩序中的活动一样——的知识),在很大程度上为我们提供了这样一种信息,即我们的某些行动在某些情势中会产生什么样的后果。显而易见,如果我们想达到某种特定的结果或者为某种特定的驱动力所驱使,那么上述有关事实的知识便会有助于我们决定做什么样的事情;但是在一个大体未知的世界中,它还需要有某种否定性原则作为补充,这类原则会禁止我们采取我们的内在驱动力促使我们采取的但却与外部情势不相适合的那些行动。只有当一个人按照事实性规则参与竞赛亦即只采取后果基本上可以预见的那些行动类型的时候,一个人所知道的那些事实性规则才是可以为人们所依凭的。因此,规范乃是对一种我们赖以为凭但却知之较少的事实常规性所做的调适——此外需要指出的是,也只有当我们遵循那些规范的时候,我们才能够以那些常规性为依凭。显而易见:第一,我不遵循自己群体中的规则,我就不会为该群体所接纳,因而也无法去做大多数我想做的事情和我为了维持自己的生计而必须做的事情;第二,我不遵循这些规则,我就可能会干出一些最可怕的事情并且陷入一个完全无所适从的世界之中。如果我知道上述两个道理,那么我就可以说,这样的规则对于我采取富有成效的行动来说将起到一种必要的指导作用,一如那些告知我周围的人会如何行事的规则所具有的作用一般。由此,事实性信念(the factual belief)与规范性信念(the normative belief)紧密联系起来了。所谓事实性信念乃是这样一种观点,即这种做法或那种做法乃是人们能够实现某种特定结果的唯一方法；而所谓规范性信念则是这样一种观点，即这种做法乃是人们应当达致某种特定结果的唯一方法。在这种情形中，个人会认为，他违反规则的做法会使他自己遇到危险，即使没有人会惩罚他。因此，他对这种结果的害怕会使他遵守常规做法，甚至连动物也不例外。但是值得注意的是，一旦人们刻意地用泛灵论的语言来传授这些规则，那么它们就几乎不可避免地会与传授者的意志或传授者威胁使用的惩罚或超自然的制裁联系在一起了。

与其说人们是根据各种可供选择的行动所具有的已知后果而对它们做出选择的，还不如说他们在后果可预见的行动与后果未知的行动之间更倾向于采取前一类行动。人们最害怕的事情以及那种一旦发生便会使他们感到恐怖的事情，就是不知所措和不知道该做什么事情的状态。尽管我们都倾向于把良知与害怕受到来自另一种意志的谴责或惩罚联系在一起，但是它所表现出来的那种心智状态从心理的角度来看却与某人（亦即在操纵一架复杂的大机器的时候不小心拉错了杠杆并导致了完全出乎意料的事件的人）所经验到的惊恐无甚差异。人们由此会产生这样一种感觉，即只要一个人违反了行为规则，某种令人害怕的事情就肯定会发生。显而易见，这种感觉不过是惊恐的一种形式，亦即当一个人意识到自己进入了一个未知世界的时候所会产生的那种惊恐。良心不安实际上是人们在偏离了常规并步入了一种未知世界时对自己所面临的危险感到的害怕。只要人们遵循业已确立的行事方式，那么我们生活于其间的世界就是比较可预见的，但是需要指出的是，当人们违反这些行事方式的时候，这个世界就会变得令人害怕。

由此可见，为了在一个只在部分上为我们所知的世界中成功地生活并实现我们的目标，遵循某些禁止性规则（inhibiting rules）——亦即防止人们使自己面临危险的规则——与理解世界运行赖以为凭的规则,具有同样重要的意义。戒规或否定性规则(taboos or negative rules)乃是通过使人们害怕采取某种行动而发生作用的——正如一种明确指出不得做什么事情的知识那样。这些戒规或否定性规则构成了有关环境的重要信息,其重要程度可以说不亚于有关这种环境中各种客体之属性的肯定性知识。尽管这种肯定性知识能够使我们预见到特定行动的后果,但是那种有关环境的重要信息的作用却在于告诫我们不要采取某些种类的行动。我们至少可以这么说,只要规范性规则是由禁令构成的,一如大多数规范性规则在被解释成另一种意志的命令以前很可能都是由禁令构成的那样,那么"你不得做某事"类型的规则也就不会与那些为我们提供肯定性信息的规则有多大区别了[20]。

【注释】

[1]我们将交替使用"(社会)秩序"和"(社会)模式"去描述一个群体中所有成员的行动结构,但是我们将避免采用"社会组织"这个较为一般的术语。因为"组织"有一种目的论的(拟人化的)含义,因此最好用它来专门指称那些作为设计之产物的秩序。同样,我们偶尔也会交替使用"秩序及其要素"和"群体与个人"这一对概念,尽管前者显然是一个较为一般性的术语,而群体与个人间的关系只是其间的一个特定事例。

[2] 甚或组成该群体的个体成员是有生命的有机体还是某种复制性的机械结构。参见 L. S. Penrose,"Self-reproducing Machines",*Scientific American*,June 1959。

[3]参见 Alexander Carr—Saunders,*The Population Problem*,London,1922,p. 223:"那些采用并实践最有利的习惯的群体会在与相邻群体的不断争斗中处于有利地位"。

[4]见 K. von Frisch, *The Dancing Bees*, New York, 1955。

[5]A. E. Emerson, "Termite Nests—A Study of Phylogeny of Behavior", *Ecological Monographs*, VIII, 1938.

[6]参见 Edward Sapir, *The Selected Writings*, ed. D. G. Mandelbaum, University of California Press, 1949, p. 548 以次。

[7]有关本节简要描述的这种秩序的进一步的说明例证,可以见之于 V. C. Wynne-Edwards, *Animal Dispersion in Relation to Social Behavior*, Edinburgh, 1962; Anne Roe and G. G. Simpson, *Behavior and Evolution*, Yale University Press, 1958; and Robert Ardrey, *The Territorial Imperative*, New York, 1966。

[8]参见 K. R. Popper, *The Poverty of Historicism*, London, 1957, section 7 and Ernest Nagel, *The Structure of Science*, New York, 1961, pp. 380 ~ 397。

[9]参见 Sir Alister Hardy, *The Living Stream*, London 1966,尤请参见该书第二讲。

[10]这一点可以见之于论者们对经济学理论被宣称具有的那种"理性"程度所做的毫无意义的讨论。顺便说一句,以上所述也意味着:第一,社会理论——在严格的意义上讲——并不是一门行为科学(a science of behavior);第二,把社会理论视作"行为科学"的一部分,至少是误导的。

[11]M. Polanyi, *The Logic of Liberty*, London, 1951,尤见第八和第九章。

[12] Carl Menger, *Untersuchungen uber die Methode der Socialwissenschaften und der Politischen Okonomie insbesondere*, Leipzig, 1883, p. 88, English translation by F. J. Nock, ed. by Louis Schneider under the title *Problems of Economics and Sociology*, Urbana, Ⅲ., 1963, p. 94. 着重号是原文中的。

[13]我认为我们没有必要在这里强调说,一种进化理论并不意味着"进化法则或进化规律"(laws of evolution)——即特定形式或特定阶段之间的必然的先后顺序,而这是那些把遗传现象解释成一种历史问题的人常常犯的一种错误。一

种遗传理论所描述的乃是一种能够产生无限多样的特定结果的机制。

[14] 参见 R. Redfield (ed.). *Levels of Integration in Biological and Social Systems* (*Biological Symposia*, ed. J. Catell, Vol. Ⅷ), Lancaster, Penn., 1941。"整合"(integration)在此背景下当然只意味着一种秩序的型构或融入一种业已存在的秩序。

[15] 参见 David Hume, *Dialogues Concerning Natural Religion* (1779), in *A Treatise of Human Nature*, ed. T. H. Green and T. H. Grose, new ed., 1890, Vol. Ⅱ, pp. 28 ~ 429:"我特别想知道,一种动物,如果其间那么多的动物不进行这种彼此的调适,怎么可能生存下来?……如果一种形式不具有其生存所必需的那些能力和器官,那么它……根本就不可能生存下来:必须不间断地尝试某种新的经济秩序,直到最后某种能够支持且维续其生存的经济秩序得到落实。"

[16] Adam Smith, *Wealth of Nations*, ed. Carman, I, p. 421.

[17] 见 V. C. Wynne-Edwards,上引书。

[18] 见拙文:"Dr. Bernard Mandeville", *Proceedings of the British Academy*, LII, 1966。

[19] 例如,我们似乎可以在猴群中发现,小猴子更愿意采用新的饮食习惯,然后再传播给该群体中的老猴子。关于这个问题,请参见由 S. Kawamura 所报告的 J. Itani 所做的考察:"The Process of Sub-Cultural Propagation among Japanese Macaques",载 Charles H. Southwick (ed,), *Primate Social Behavior*, Princeton, 1963, p. 85。

[20] 这里所考虑到的可能性,并不是指所有的规范性规则都能够被解释为描述性规则或解释性规则的(descriptive or explanatory rules),而意味着描述性规则或解释性规则唯有在一个规范性规则系统中才是有意义的。

自生自发秩序与第三范畴*

——人之行动而非人之设计的结果**[1]

欧洲思想界之所以坚信刻意的设计和计划(deliberate design and planning)优越于各种自生自发的社会力量(spontaneous forces of society),在我们看来,显然是由于笛卡尔主义者所阐发的唯理主义建构论(the rationalist constructivism)在欧洲思想界的盛行所致。但是需要指出的是,欧洲思想界所持的这种认识进路还有一个更为古老的思想渊源,而这个渊源就是古希腊先哲所提出的那种错误的二分观(dichotomy);当然,这种错误的

* 本文译自哈耶克所著 *Studies in Philosophy, Politics and Economics*, The University of Chicago Press, 1967, pp. 96 ~ 105。需要指出的是,本文原文译名为"人之行动而非人之设计的结果",但是为了更加明确地指出哈耶克这篇文章的要旨,我特意根据我对哈耶克自由主义社会理论的理解,加上了一个正标题。一如我们所见,哈耶克教授在本文中详尽阐明了"自然"与"人为"二分观的谬误,并在此基础上提出了一种渊源于苏格兰启蒙运动思想家的"三分观",亦即在原本的二分观之间插入一个新的且极为重要的范畴,这就是他们所说的"人之行动而非人之设计的结果"的范畴,这个范畴所指称的社会现象(自生自发秩序)不仅构成了社会理论研究的核心对象,而且还在知识论的基础上标示出了社会理论在认识和解释社会现象方面与其他各种理论之间的巨大差别。——邓正来按

** 本文的法文译本发表在 *Les Fondements Philosophiques des Systèmes Economiques*. Textes de Jacques Rueff et essais rédigés en son honneur. , Paris 1967。

二分观直至今天仍然困扰着人们的思想,并且构成了人们正确理解社会理论和社会政策这项独特任务的最大的障碍。* 这种二分观以一种极具误导性的方式把所有的现象都界分为下述两种现象,亦即“自然的”现象(“natural”phenomena)与“人为的”现象(“artificial”phenomena)[2]。实际上,早在公元前5世纪,古希腊的智者们就已经同这种二分观展开了思想上的斗争,并且明确指出这种按照一种非此即彼的方式把各种制度和惯例要么归因于自然(physei)要么归因于约定(thesei or nomo)的二分观乃是一种

---

* 值得我们注意的是,在1960年出版的《自由秩序原理》(邓正来译,三联书店1997年版)一书中,哈耶克在检讨和批判笛卡尔唯理主义的时候,并没有对古希腊哲学中关于“自然与人为”现象二分观进行追问。因此,本文的讨论极为重要,而且还为他撰写最后一部系统著作提供了知识上的准备,正如我在为这部巨著的中译本所写的封页题记中所指出的那样,“哈耶克《法律、立法与自由》(三卷本)是本世纪(20世纪——编者注)最为重要的自由主义法律哲学著作之一。他在本书中所阐明的有关‘自然’、‘人为’和‘人之行动而非设计’的现象的三分观,不仅对‘自然’与‘人为’的二元观构成了尖锐的批判,而且还在将这种批判推进至法律现象的认识题域时,更揭示出了自笛卡尔式唯理主义以降在法律领域中占支配地位的‘社会秩序规则一元论’把人类社会运作过程中‘人之行动而非人之设计的’制度或规则切割出去的过程和条件。正是在这个意义上,哈耶克所阐发的内部规则与外部规则的‘社会秩序规则二元观’,一方面为我们反思那种基本上构成了现代图式之一的视立法为唯一的法律的观点和实践提供了一个颇为重要的维度,进而也为我们进一步追问现代社会在唯理主义意识形态的支配下将原本不可通约的文化传统经由立法一元化而统合起来的那种观点和实践的正当性提供了一个知识基设;另一方面则为我们在一更深的层面上追究人们为什么将现代社会的这种实践视为当然——而其间究竟与现代社会确立的民族国家建构话语和多数民主(特指立法机构至上)话语之间存有何种勾连——等问题开放出了某种可能性”。关于哈耶克在《法律、立法与自由》一书中就这些问题的讨论,请参见第一卷“规则与秩序”,第19~27页;第二卷“社会正义的幻象”,第85~93页。相关文献的讨论,则请参见汪子嵩等:《希腊哲学史》(第二卷)第四章“Physis和Nomos”,人民出版社1993年版,第202~245页;以及陈康:《论希腊哲学》,商务印书馆1995年版。——邓正来按

谬误。尽管如此,亚里士多德还是接受了这种界分方式,而且也正是从那个时候起,这种二分观的认识进路成了欧洲思想中的一个不可分割的组成部分。

然而,这种思维方式却有着很大的误导性,其原因就在于这种认识进路有可能使人们把一类独特且大量的现象不是归入上述"自然"的范畴就是划入"人为"的范畴——而究竟把它归入哪个范畴的问题则取决于人们对这二者所做的具体界定,但是颇为遗憾的是,人们从来就没有对如何界分这两个范畴的标准问题做出过明确的阐释,直到今天人们依然对此莫衷一是。比如说,人们既可以用这些术语来指称某种独立于人之行动的东西与人之行动之结果的某种东西之间的区别,而与此同时,人们也可以用这些术语来描述某种并非因人之设计而出现的东西与某种因人之设计之结果而出现的东西之间的区别。在这样一种双重意义的框架中,人们既可以把那些最终在18世纪被亚当·福格森(Adam Ferguson)明确界定为人之行动而非人之设计之结果的制度归入"自然的"范畴,也可以把它们划入"约定的"范畴——至于论者究竟把它们归入哪个范畴的问题,则完全取决于论者在上述两种界分标准中所遵循的是何种标准。然而颇为遗憾的是,大多数思想家似乎都没有意识到这样一个事实,即不仅存在着两种不同的界分标准,而且这两种界分标准都是可能的。

不论是公元前5世纪的希腊先哲,还是此后两千年间承继他们思想的论者,都没有能够发展出一套用以明确探究人之行动的非意图后果(unintended consequences of human action)的系统社会理论,或者一套用以阐明一种秩序或一种常规模式得以在任何行动者都不曾意图的那些行动当中型构自身的方式的系统社会理论。据此我们可以说,人们从来就没有明确认识到这样一个道理,即我们真正需要的乃是一种三分观(a three-fold division),而这种三分观将在自然的现象(亦即那些完全独立于人之行动的自然现象)与人为的或约定的现象[3](亦即那些出自于人之设计的结果)之间插入了一个独特的居间性范畴(a distinct middle category),用以含括所有存在于人类社会之中并且构成社会理论研究对象的非意图的模式和常规情形。需要指出的是,目前的一大困难是我们仍然找不到一个能够为人们普遍接受的术语来描述这类现象。但是,为了避免使这种混乱状况继续下去,我们就必须采纳一个新的术语。颇为遗憾的是,我们原本可以用来达到这个目的的一个最为显见的术语[即"社会的"(social)那个术语],却经由一种难以理喻的发展而渐渐变成了另外一种意思,亦即一种与我们的期望之物几乎完全相反的意思。正是由于人们按照人格化的方式去认识社会,所以"社会的"这个术语也就渐渐被人们普遍用来指称那些刻意的一致行动的目标了。但是,人们之所以按照人格化的方式去认识社会,则完全是因为他们根本就没有认识到这样一个道理,即社会乃是一种自生自发的秩序。当一些社会学家意识到这个棘手的局面之后,他们也曾经试图引入一个新的术语即"societal",但是结果却表明,这个术语并不能够妥适地满足此一急需,而且其前景也甚为暗淡[4]。

就这个问题而言,我们应当牢记的是,在现代社会理论于18世纪出现之前,人们在描述人类事务中为人们所遵循的某些常规模式并不是人之设计的产物这个基本事实的时候所采用的乃是"自然的"这个术语,而且"自然的"这个术语也是人们在当时描述这个事实的时候唯一能够得到人们普遍理解的一个术语。实际上,在唯理主义者于17世纪重新解释自然法(the law of nature)以前,"自然的"这个术语就一直被人们用来指称一种并非人之刻意意志之产物的秩序或常规模式。与此同时,“自然的”这个术语还与“有机体”(organism)这个术语一起,被普遍认为是指称一种与那种发明的或设计的秩序相区别的自生自发秩序的术语。“自然的”这种用法最早源出于斯多葛哲学(the stoic philosophy),并在12世纪时被人们重新采用[5];最终,正是在这种认识的指导下,西班牙晚期经院哲学家经由他们的努力而为人们认识和解释自生自发形成的社会制度的起源和运作奠定了理论基础[6]。

事实上,正是人们在当时不断地追问社会秩序在没有刻意的立法行为进行干预的情况下如何可能形成和发展这个问题的过程中,社会理论,特别是经济理论,才一步一步地确立了它们自身需要进行探究的所有问题。然而,在17世纪,这一古老的自然法传统却被另一种与之截然不同的观点取代了;这种观点在当时兴起的建构论唯理主义的影响下,竟然把“自然”之物解释成了设计理性(designing reason)的产物[7]。正是为了反对这种笛卡尔式的唯理主义,18世纪的英国道德哲学家才从普通法(common law)理论和自然法(natural law)理论出发创建了一门把个人行动的非设计结果作为其核心探究对象的社会理论,特别是提出了一套有关自生自发市场秩序的综合理论。

毋庸置疑,这场“反对唯理主义”的运动的始作俑者乃是孟德维尔(Bernard Mandeville)[8],但是这场运动的全面展开却是经由孟德斯鸠(Montesquieu)[9]、特别是大卫·休谟(David Hume)[10]、塔克(Josiah Tucker)、亚当·福格森和亚当·斯密(Adam Smith)等人的积极努力才得以实现的。一如我们所知,亚当·斯密提出了“看不见的手”(the“invisible hand”)的观点,认为人们乃是在这只“看不见的手”的作用下“被引导去实现那些并非出于其意图的目的的”[11]。但是,一些论者在此后对他的这个说法进行了不可思议的嘲弄,并且又一次把这个认识社会理论研究对象的深刻洞见给遮蔽了。当然,在一个世纪以后,卡尔·门格尔(Carl Menger)经过努力又一次使这个观点得到了复苏;不过只是经过了80个年头以后,门格尔对这个观点的阐释才在今天得到了人们的广泛接受[12],至少在社会理论领域内是如此。

人们对斯密观点的批评也许是有些道理的,这是因为斯密似乎认为,有关一种以自生自发方式形成的秩序是最佳秩序的观点乃是显见不争且毋庸置疑的。但是即使如此,我们还是必须承认,斯密这个观点中隐含着一个相当正确的假设,即我们所有的人都从一个复杂社会的广泛分工中获得了益处,而这种分工唯有通过自生自发的有序化力量才能够得到实现,换言之,这种分工乃是不可能通过人之设计而得到实现的。在我看来,无论是斯密本人还是任何其他令人尊敬的论者都不曾主张过这样一种观点,即在人类社会中,各种利益之间原本就存在着一种和谐,而不论那些业已生成和发展起来的制度为何。他们所主张的毋宁是这样一种观点(就此而言,一位与斯密同时代的论者要比斯密本人阐释得更为清楚),正是通过不断地否弃各种较为低效的制度,那些能够促使不同的利益在某种程度上达致协调且和谐共存的制度才得到了逐渐的发展。塔克所主张的乃是这样一种观点,即"人性中最普遍的驱动力(即那种爱己倾向)有可能会(而不是始终会)把个人的努力在各种情形中都导向这样一个方向,即个人有可能通过追求一己私利的种种努力而使公共利益得到增进"[13]。

就这个问题而言,有一个要点长期以来一直没有得到人们的充分理解。只是在门格尔对这个要点做出明确阐释以后,人们才对它有了比较明确的认识。这个要点就是:有关社会制度的起源或形成的问题与有关社会制度的运作或作用方式的问题基本上是同一个问题。社会制度之所以按照一种特定的方式进化发展,实是因为这些社会制度所保障的那部分行动之间所达成的协调性,证明了它们要比它们与之竞争的其他制度更具效力,因而也就取代了那些低效的其他制度。因此,这种有关传统和习惯有可能使自生自发秩序得以型构的进化理论与另一种有关特定种类的自生自发秩序[亦即我们所谓的“有机体”(organism)秩序]的进化理论有着极为密切的关系。实际上,前一种进化理论还为后一种进化理论提供了它赖以为基础的基本概念[14]。

需要指出的是,尽管上述洞见在理论社会科学(the theoretical social sciences)领域中已经牢固地确立了自己的地位,但是它们对于另一种更具实际影响的知识部门(即法理学部门)的影响却至今仍是微乎其微。在法理学领域中,占据支配地位的乃是法律实证主义(legal positivism)。这种法律思想仍然信奉一种本质上的拟人化观点,亦即那种认为所有的正义规则都是人之刻意发明或设计的产物的观点。不仅如此,法律实证主义者甚至还为自己摆脱了那种“形而上”的“自然法”观念(that metaphysical conception of natural law)的一切影响而颇感自豪。然而我们知道,人们对于社会现象所做的所有理论认识实际上都源出于他们对那种“自然法”观念的追求。造成这种现象的原因可能是这样一个事实,即现代法理学批判的那个自然法概念实际上是一个被唯理主义者扭曲了的自然法概念*。这种唯理主义的自

---

* 需要指出的是,在哈耶克那里,“自然法”这一术语的误导性实际上一如“实在法”的术语一样也渊源极深,因为在两千多年中,古希腊人所提出的“自然的”与“人为的”二分观几乎在未受质疑的情况下一直支配着人们的思维方式并且还深深地植根于人们所使用的法律语言之中,而当下大多数欧洲语言中的“自然法”和“实在法”的术语都渊源于这两个术语,因为“在公元2世纪,拉丁语语法学家 Aulus Gellius 曾用 naturalis 和 positivus 这两个术语来翻译 physei 和 thesis 这两(接下页注)

然法概念把自然法解释成了一种"自然理性"(natural reason)的演绎建构，而不是一种自生自发进化过程的非设计的结果。然而一如我们所知，在这种自生自发的进化过程中，有关何为正义的标准并不是任何人的专断意志，而是有关规则与整个规则系统间的相容性(compatibility)。当然，这个规则系统不仅包括了我们所继受的规则，甚至在某种程度上还包括了那些未经阐明的规则(inarticulated rules)。然而，那种担心被一种所谓的形而上观念所毒害的恐惧，不仅致使法律理论接受了一些更缺乏科学根据的拟制观，而且这些拟制观反过来又切断了法律与正义之间的所有关系——但是正如我们所知，恰恰是法律与正义间的这种关系才使得法律变成了一种促成自生自发秩序之型构的智性工具。

一如我们所知，法律实证主义者认为：第一，法律仅仅是立法者意志的产物；第二，法律的存在本身预设了立法者意志的明确阐释先于法律的出现。然而，法律实证主义者的这种观点，不仅在事实上是一种谬误，而且也不可能一以贯之地得到实施。实际上，法律要比立法(legislation)甚或要比一种组织起来的国家都更加古老，因为我们知道，立法者的全部权力和国家

(接上页注)个希腊术语；而正是在此一翻译的基础上，大多数欧洲语言也都演化出了用以描述两种法律[即'自然法'(natural law)和'实在法'(positive law)——邓正来注]的类似词汇"，参见哈耶克：《法律、立法与自由》第一卷"规则与秩序"，第19页。特别需要引起我们重视的是，所谓"被唯理主义者扭曲了的自然法概念"，大体上是指17世纪以前的自然法理论。这个问题无疑是一个极为重要的问题，尤其是其间所关涉到的有关"前唯理主义的自然法理论"与"唯理主义自然法理论传统"间关系的问题。尽管哈耶克对此没有做出详尽的讨论，但我还是认为这是一个极为重要且相当繁复的重大理论问题，因为这两种传统的转换实现上关涉到现代性以及与其紧密相关的现代图式的建构过程，也隐含着它们所支配并与之互动的现代社会的文化和制度的建构过程，进而也就更牵涉到我们在当下如何认识和理解现代性的问题。——邓正来按

的全部权力都衍生于先于它们而存在的正义观念;此外,除非以一个得到普遍公认但又往往是未经阐明的正义规则(unarticulated rules of justice)的框架为基础,否则任何阐明的法律(articulated law)系统都不可能得到适用*[15]。实际上,一种"完备无缺"(luckenlos)的成文规则系统不仅从来没有存在过,而且将来也不可能存在。人们制定的所有的法律都只是旨在实现正义而不是旨在创造正义;此外,人们制定的任何法律也不曾成功地取代过它所预设的所有先于它而存在的被人们公认的正义规则,甚或也不曾成

---

* 哈耶克关于"阐明的正义规则"及"未阐明的法律"的讨论或者关于"未阐明的规则"优位于"阐明的规则"的论说,依我个人对他的知识观的研究所见,实乃源出于他的知识观中"默会知识"优位于"理论知识"的观点,并且是经由把这一默会知识首位性的命题与他在1960年发表的《自由秩序原理》一书中开始创建的"无知观"结合起来而把探究的范围扩大到了诸如工作活动、文化传统、制度或社会行为规则等这样一些社会活动题域的。关于这个问题的详尽讨论,请参见拙著:《自由与秩序》,江西教育出版社1998年版,第105~138页。当然,关于这个问题,更请参见本丛书第一辑所收录的哈耶克于1967年所撰写的《政治思想中的语言混淆》一文之第三节"关于阐明的规则与未阐明的规则的简要评论"。哈耶克在该文中明确指出,对"未阐明的规则与阐明的规则"进行界分,要比法理学中通常为人们所熟知的对"成文法与不成文法"的界分和对"习惯法与制定法"的界分重要得多,因为"不成文法"或"习惯法"常常是以一种明确阐明了的文字规则形式传演下来的,所以它们与"成文法"在行动者"知道"它们的意义上的差别,就显然没有"阐明的规则"与"未阐明的规则"之间的区别那么大。此外,哈耶克在《法律、立法与自由》第一卷"规则与秩序"中也明确指出:"我们或许应当明确指出的是,在阐明的规则与未阐明的规则之间的那种区别,与成文法与不成文法之间所存在的为人们熟知的那种区别,并不是一回事——无论是在这些术语的字面意思上,还是在'制定法'(statute law)有时被描述成与'普通法'(common law)相对照的成文法(written law)的意义上,都不是一回事。这是因为口头流传下来的不成文法(unwritten law),很可能是得到充分阐明的(articulated)规则,而且也常常是阐明的规则。然而,像普通法体系这样的法律系统,却允许人们考虑那些尚未阐明的规则——最初,这样的规则常常是由一个想表达那种被他视作是现存法律的东西的法官将其形诸文字的。"参见哈耶克所著该书第一卷第四章注释16,第146~147页。——邓正来按

功地做到过完全不去征引这些未经阐明的正义观念。如果我们对一个业已存在的由这些未经阐明的规则构成的框架视而不见的话，那么发展、修正以及解释法律的整个过程就是完全不可能的，因为业经阐明的法律正是从这个未经阐明的规则框架中获得其意义的[16]。据此我们可以说，这种实证主义的法律观念乃渊源于一种事实上不真的把进化生成的制度解释成设计之产物的拟人化观点，而这种拟人化的观点实际上又源出于建构论唯理主义。

法律实证主义观念占据支配地位所具有的最大危害，乃是它必定会摧毁人们对一种能够被发现但却不只是出自于立法者之意志的正义的信奉。如果法律完全是刻意设计的产物，那么从定义上讲，设计者颁布为法律的任何东西就必定是正义的，而所谓不正义的法律也就变成了一种语词矛盾[17]。依此推论，那种经由正当授权方式而获得权力的立法者的意志就可以不受任何约束而只受他自己的具体利益的指导。正如当代法律实证主义最为坚定的代表人物所说的那样，"从理性认知的角度来看，所存在的只是人的利益，以及由此而产生的利益之间的冲突。这些冲突得以解决的方式，或者是以牺牲一方的利益来满足另一方的利益，或者是在彼此冲突的利益之间达成一种妥协"[18]。

然而，经由上文的论辩，我们可以证明，建构论唯理主义的认识进路根本就不可能达致任何正义标准。在这种情况下，如果我们能够认识到法律从来就不全是人之设计的产物，而只是在一个并非由任何人发明的但却始终指导着人们的思考和行动（甚至在那些规则形诸文字之前亦复如此）的正义规则框架中接受评断和经受检测的，那么我们就会获得一种否定性的正义标准（a negative criterion of justice），尽管这不是一种肯定性的正义标准（a positive criterion of justice）；而正是这种否定性的正义标准，能够使我们通过逐渐否弃那些与整个正义规则系统中的其他规则不相容合的规则[19]，而渐渐趋近（虽然永远也不可能完全达到）一种绝对正义的状态（absolute justice）*[20]。这意味着，那些努力发现某种“自然”（即并非出自于设计）给定的东西的人，要比那些坚持认为所有的法律都是由人之刻意意志所确定的人更接近真相，因而也更加“科学”。然而需要指出的是，把社会理论中的这项洞见适用于法律认识领域之中，的确不是一件易事，因为一个世纪以来，实证主义在法律领域中的统治几乎完全摧毁了人们在这个方面所取得的成就。

不过，人类历史上也曾存在过这样一个时期，其间，社会理论中的上述洞见开始对法律理论发生影响。正是在这段时期，萨维尼（Savigny）及其创建的历史学派，主要以 18 世纪苏格兰哲学家所阐发的自生自发秩序观念为基础，一直在努力从事我们今天称为“社会人类学”（social anthropology）的研究。我们甚至可以这样说，萨维尼等人的研究不仅构成了卡尔·门格尔

---

* 关于哈耶克在这里所讨论的“否定性的正义标准”（a negative criterion of justice）与“肯定性的正义标准”间的关系问题，他在注释中说乃是他“正在撰写的一本书的核心论题之一”，而这本书就是《法律、立法与自由》第二卷“社会正义的幻象”，因此请特别参见该书第八章“正义的探求”、第九章“社会正义或分配正义”以及第九章补遗“正义与个人权利”。此外，需要指出的是，在我看来，哈耶克有关“否定性的正义标准”的提出，实是源出于本丛书第二辑所收录的他于 1955 年写成而在 1967 年发表的《解释的程度》一文的第九节中所阐发的一个极为重要的观点：“一如我们所知，在一些领域中，我们的研究对象、我们研究和交流成果所诉诸的手段（亦即我们的思想、语言以及人与人之间进行交流的整个机制）乃是部分相同的，因此在讨论一个事件系统的同时，我们也必定是在该系统中活动的；的确，尤其是在这样的领域当中，我们所能够获得的知识极可能存在着相当明确的限度。唯有对存在于下述两种情形之间的那种关系进行研究，我们才可能探明并确定上述限度：一是在一个特定的系统之内我们所能够说的事情；另一是关于那个系统我们所能够说的事情。”——邓正来按

知悉上述社会理论之洞见的主要途径,而且还使那些洞见得以重新发扬光大具有了可能性[21]。从这个方面来看,萨维尼的确承继了早期自然法理论家所提出的目标,但是颇为遗憾的是,他的这一理论取向却因为他对 17 和 18 世纪唯理主义自然法理论(the rationalist natural law theories)所进行的尖锐批判(无疑是正确的批判)而被遮蔽了。需要强调指出的是,尽管萨维尼的这种努力有助于人们认识到唯理主义自然法观念的谬误,但是他的整个关注点却主要在于探明法律在大体没有人设计的情况下据以形成的主要方式,甚至还在于阐明这样一个道理,即人们通过设计的方式是不可能完全取代这种自然的演化过程的。据此我们可以说,萨维尼所反对的自然法并不是那种有待人们去发现的自然法,而是人们经由演绎的方式而从自然理性中推论出来的那种自然法。

但是需要指出的是,由于这一历史学派(尽管它拒绝使用“自然的”这个术语)认为,法律和正义乃是有待发现和解释的给定之物,所以它所主张的那种把法律视作是某种客观给定之物的整个观点也就被实证主义完全摈弃了,因为我们知道,这种实证主义把法律完全视作了立法者刻意意志的产物。实际上,这种法律实证主义者根本就不理解这样一个道理,即某种东西有可能是客观给定的,尽管它并不是物质自然界的一部分而是人之行动的一个结果。的确,只有当法律在部分上独立于任何特定的人之意志的时候,法律才能够成为一门科学的研究对象:法律实证主义者的认识进路必定会导致这样一种矛盾的现象,即一门科学竟然明确否定它拥有一个研究对象[22]。这是因为,如果说“没有立法行为就没有法律”[23]的话,那么这里存在的问题就只能是心理学或社会学的问题而不是法律科学的问题了。

这种态度还可以从这样一个支配了整个唯理主义时代的口号中得到反

映,即“人类能够改变他们自己创制出来的东西以满足他们自己的欲求”。然而,如果“创制”在这里的意思不仅包括了人之设计之物,而且也包括了并非人之设计但却是人之行动之结果的所有东西,那么这种观点就肯定是一种不折不扣的“不根据前提的推理”(non-sequitur)。值得我们注意的是,法律实证主义实际上只是这种实证主义观念中的一种特定表现形式。然而,这种实证主义观念却完全是笛卡尔式建构论的产物:这种建构论必定会拒绝承认存在着有待发现的正义规则,因为在这种建构论的观念当中,根本就没有那些出于“人之行动而非人之设计的”东西的空间,因而也没有社会理论可以立足的空间可言。虽然从整体上来看,我们现在已经成功地在理论社会科学领域中排除了建构论唯理主义的影响,但是当下指导法律理论和立法的种种观念却仍然深深地陷于这种前科学的认识路径(pre-scientific)之中而无力自拔。而且,虽说法国的社会科学家比其他国家的社会科学家更早地认识到了这一点[24],但是至少从局外人的角度来看,法国的法律要比其他国家的法律更多地处于这种前科学认识路径的影响之下。

【注释】

[1] Adam Ferguson, *An Essay on the History of Civil Society*, London, 1767, p. 187:“各个民族都是在偶然中发现了业已存在的制度性安排,而这些安排确实是人之行动的结果,而非任何人之设计之实施的结果。”Ferguson refers in this connection to the *Mémoires du Cardinal de Retz*, presumably the reference (ed. Paris, 1820, Vol. Ⅱ, p. 497) to President de Bellièvre's statement that Cromwell once told him that“on ne montait jamais si haut que quand on ne sait où l'on va”.

[2] 参见 F. Heinimann, *Nomos und Physis*, *Basel*, 1945。

[3]“约定”(conventional)这个术语既可以意指明确的协议,也可以指称习惯做法及

其结果。当然,这个术语的含混性进一步加深了人们在认识这个问题方面的混乱状况。

[4] 参见 F. Stuart Chapin, *Cultural Change*, New York, 1928 以及 M. Mandelbaum, "Societal Facts",载于 Patrick Gardiner, ed. *Theories of History*, London, 1959。社会人类学家专门用来描述这些现象的"文化"术语,很难作为一般术语加以采用,因为大多数人都不会愿意把"同类相食的习性"(cannibalism)也纳入"文化"制度的含义之中。

[5]尤请参见 Sten Gagnér 所做的说明:*Studien zur Ideengeschichte der Gesetzgebung*, Uppsala, 1960, pp. 225 ~ 240 of the work of Guillaume des Conches,尤其是第 231 页征引的文字:"Et est positiva que est ab bominibus inventa... Naturalis vero que nonest homine inventa."

[6]尤请参见 Luis Molina, *De iustitia et iure*, Cologne, 1596 ~ 1600, esp. tom. Ⅱ, disp. 347, No. 3。在这里,他把自然的价格说成是"naturale dicitur, quoniam et ipsis rebus, seclusa quacumque humana lege eo decreto consurgit, dependetur tamen a multis circumstantiis, quibus variatur, atque ab hominum affectu, ac aestimatione, comparatione diversum usum, interdum pro solo hominum beneplacito et arbitrio"。在一篇颇具意义但却未发表的哈佛大学的博士论文[即 W. S. Joyce 撰写的 *The Economics of Louis de Molina*, 1948 (p. 2 of the Appendix "Molina on Natural Law")]中,这位作者确当地指出:"墨利纳(Molina)解释说,与实在法不同,自然法乃是一种'de objecto'的法律——这是一个极难翻译但却是一个极为方便的经院术语,它的意思基本上是指'事物之性质'(the nature of the case)——因为正是从事物之性质(*ex ipsamet natura rei*)出发,人们可以得出结论说,为了维护德性或避免邪恶,应当命令或禁止的行动就是自然法命令或禁止的行动。'据此',墨利纳继续指出,'命令或禁止之物乃源出于事物之性质,而并不出自

于立法者的专断意志(*ex voluntate et libito*)'。"

[7]这个转换过程所导致的"理性"这个概念之含义的变化,可以明显见之于洛克早期发表的一段文字(载于 *Essays on the Law of Nature*, ed. by W. von Leyden, Oxford, 1954. p. Ⅲ)。在该段文字中,洛克指出,"所谓理性,我并不认为它在此处的含义是指那种构成了思想之链以及推论证据的领悟能力,而是指一些明确的行动原则,正是在这些原则的基础上,产生了所有的德性以及对于确当养育道德规范所必要的一切东西"。又请参见上引书第 149 页:"就这种正当的理性而言,它所意指的只是那种业已为人们所知的自然法本身。"

[8]这个基本理念早就隐含在 1705 年发表的许多诗句之中了,特别是:

The worst of all the multitude

Did something for the common good

但是这个观念只是在 *The Fable of the Bees* 一书发表 20 多年以后补充上去的散文体评论第二部分才得到了充分的阐明(参见 ed. by F. B. Kaye, Oxford, 1924, Vol. Ⅱ, esp. pp. 142, 287 ~ 288, and 349 ~ 350;并请比较 Chiaki Nishiyama, *The Theory of Self-love, An Essay in the Methodology of the Social Sciences, etc*, Chicago Ph. D. thesis, June 1960——特别是孟德维尔的理论与门格尔理论之间的关系)。

[9]有关孟德维尔对孟德斯鸠的影响,请参见 J. Dedieu, *Montesquieu et la Tradition Politique Anglaise*, Paris, 1909。

[10] David Hume, *Works*, ed. by T. H. Green and T. H. Grose, Vol, Ⅰ and Ⅱ, *A Treatise on Human Nature*, Vol, Ⅲ and Ⅳ, *Essays, Moral, Political, and Literary*, esp. Ⅱ, p. 296:"这显然有助于公众,尽管这并不是发明者刻意实现这个目的而达成的状态";又参见Ⅲ, p. 99:"宪法所规定的特定的制约和控制措施不得把为公益服务的事情变成个人的利益,即使是坏人亦不得要求他们这样做";另请参见Ⅱ,

p. 289:“我学着为其他人提供服务,虽说我与其他人之间并不存在真正的友好关系”;以及Ⅱ,p. 195:“所有这些制度都源出于人类社会的必要性之中”。显而易见,对休谟所陷入的术语困境进行考察乃是极具意义的,因为我们知道,由于休谟反对当代自然法理论,所以他选择使用“artifact”(人工制品)、“artifice”(技能)和“artificial”(人为的)等术语来描述那些被古典自然法理论家称之为“自然的”东西。尤请参见Ⅱ,p. 258:“尽管正义规则是人为的,但是它们并不是专断的。如果所谓‘自然的’被我们理解成任何物种所共同具有的东西,甚或我们只将它用来指称与物种不可分割的东西,那么把那些正义规则称之为自然法就是相当妥适的。”另请参见拙文,“The Legal and Political Philosophy of David Hume”。需要指出的是,Bruno Leoni 教授使我关注到了这样一个事实,即休谟在这个方面所使用的“人为的”(artificial)术语很可能源出于 Edward Coke 把法律视之为“人为的理性”(artificial reason)的观念,当然,他们所使用的“人为的”术语,在含义上与其说是接近于“人为的”这个术语所具有的一般含义,倒不如说是更接近于晚期经院哲学家赋予“自然的”这个术语的含义。

[11] Adam Smith, *An Inquiry into the Nature and Causes of the Wealth of Nations* (1776), Bk. Ⅳ, ii, ed. E. Cannan, London, 1904, Vol. I, p. 421.

[12] Carl Menger, *Untersuchungen über die Methode der Socialwissenschaften und der Politischen Okonomie inshesondere*, Leipzig, 1883, p. 182:“die unbeabsichtigte Resultante individueller, d. i. individuellen Interessen verfolgender Bestrebungen der Volksglieder... die unbeabsichtigte sociale Resultante individuell telèologischer Faktoren”[载于该书的英译本(F. J. Nock 译), ed. by L. Schneider, *Problems of Economics and Sociology*, Urbana, 1963; p. 158]。这个观念在晚近的复兴似乎是从我发表“Scientism and the Study of Society”一文之时起开始的(*Economica*, N.

S. IX/35, August 1942, p. 276,重印于拙著 *The Counter-Revolution of Science*, Glencoe, Ⅲ, 1952, p. 25)。在那篇论文中,我指出,社会研究的目的乃在于"对许多人都未意图或未设计的结果做出解释"。自此以后,这种观念似乎又得到了卡尔·波普尔的采纳,"The Poverty of Historicism"以及 *The Open Society and its Enemies*(4th ed, Princeton, 1963, Vol Ⅱ. p. 93),在这里,波普尔讨论了"这类行动所产生的间接的、未意图的和常常是未欲求的副产品"[然而,我却不能同意波普尔在上引书第 323 页上根据卡尔·博兰尼(Karl Polanyi)的建议而做出的一个陈述,即"马克思最早把社会理论看成了研究我们几乎所有的行动所具有的未欲求的影响的学问"。实际上,我们只需举出两位论者亚当·福格森和亚当·斯密就足够了,因为他们早就明确阐明了这个观点;毋庸置疑,马克思肯定是受惠于他们的]。Ernest Nagel 也使用了(也许并没有采纳)这个观点,"Problems of Concept and Theory Formation in the Social Sciences",载于 *Science, Language and Human Rights* (American Philosophical Association, Eastern Division, Vol, I), Philadelphia, 1952, p. 54;在该文中,他指出,"的确,社会现象一般来讲并不是个人行动所意图的结果,因此,社会科学的核心任务就在于对那些作为行动之未意图的结果的现象做出解释"。K. R. Merton 有关"意图性社会行动的未预期的后果"的观念,也与我们上文所述的观念大体相似,尽管并不完全相同(参见他的论文,"The unanticipated consequences of purposive social action",载于 *American Sociological Review*, 1936, 以及他在 *Social Theory and Social Structure* 一书中对这个问题所做的进一步讨论, rev. ed. Glencoe, I11. 1957, pp. 61 ~ 62)。

[13] Josiah Tucker, *The Elements of Commerce*(1756),重印于 Josiah Tucker: *A Selection from his Economic and Political Writings*, ed. R. L. Schuyler, New York, 1931, p. 59. 又请参见拙著: *Individualism and Economic Order*, London and Chicago, 1948, p. 7。

[14]Carl Menger, *l. c*, p. 88："Dieses genetische Element ist untrennbar von der Idee theoretischer Wissenschaften"；以及 C. Nishiyama, *l. c.* 如果我们把这种观点与贝特朗菲(L. von Bertalanffy)在生物学领域中所强调的那个洞见做一番比较，我想是极有意义的，参见他的著作：*Problems of Life*, New York, 1952, p. 134："所谓结构，乃是指那种缓慢的长时期的过程，而功能则是指那种快速且短暂的过程。如果我们说，诸如肌肉收缩这样一种功能乃是一种结构所做出的表现，那么这意味着一种快速且短暂的过程波乃是附着在一种长久且缓慢的运行波之上的现象"。

[15]参见 Paulus(*Dig*. 50. 17. I)"non ex regula ius sumatur, sed ex iure quod est regula fiat"；以及 Accursius (Gloss 9 to *Dig*, I. I. I · pr.)"Est autem ius a iustitia, sicut a matre sua, ergo prius fuit iustitia quam ius."

[16]参见 H. Kantorowicz, *The Definition of Law*, ed. A. H. Campbell, London, 1958, p. 35："如果法律被视作是一个主权者发布的一系列命令，那么整个法律科学的历史，特别是意大利的罗马法注释学派和德国的罗马法学者(the Italian glossators and the German pandectists)的研究成果，就都会变得难以理解了。"

[17]参见 T. Hobbes, *Leviathan*, Ch, 30. ed. M. Oakeshott, London, 1946, p. 227："任何法律都不可能是不正义的。"

[18] Hans Kelsen, *What is Justice*? University of California Press, 1960, pp. 21 ~22.

[19]有关检测若干规则的相容性这个标准的问题，读者现在可以参见 Jürgen von Kempski 所做的一系列颇具意义的研究，收集在 *Recht und Politik* 一书中(Stuttgart, 1965)以及他的论文，"Grundlegung zu einer Strukturtheorie des Rechts", *Abhandlungen der Geistes-und Sozialwissenschaftlichen Klasse der Akademie der Wissenschaften und der Literatur* in Mainz, Jg. 1961, No. 2.

[20]检测法律规则正义与否的否定性标准这个观念(亦即康德的法律哲学所旨在

达致的那种标准)乃是我正在撰写的一本书的核心论题之一;这种否定性标准能够使我们通过把所有不一致或不相容合的规则从整个正义规则系统中消除掉的方式而逐渐趋近正义——当然,就整个正义规则系统而言,其间的一大部分规则在任何时候都始终是某个特定文明的成员所通常且必定拥有的财富。

[21]有关伯克的观点(以及通过伯克,大卫·休谟的观点)据以达致萨维尼的那些途径,请参见 H. Ahrens, *Die Rechtsphiosophie oder das Naturrecht*, 4th ed. Wien, 1854, p. 64。这本书很可能还是卡尔·门格尔当时获知这方面信息的第一手资料之一。有关萨维尼及其历史学派,也请读者参见 E. Ehrlich 所做的精准的考察, *Juristische Logik*, Tübingen, 1918, p. 84:“Burke, Savigny und Puchta... verstehen, was immer verkannt wird, unter Volk oder Nation dasselbe, was wir heute als Gesellschaft im Gegensatz zum Staate bezeichnen, allerdings in nationaler Begrenzung”;以及 Sir Frederick Pollock, Oxford Lectures and Other Discourses, London, 1890, pp. 41 ~ 42:“进化论无非是一种被应用于自然事实(the facts of nature)之中的历史方法,而历史方法则不外乎是一种适用于人类社会及其制度的进化论。当查尔斯·达尔文创立自然历史哲学的时候,他所依凭的精神和追求的目的实际上与那些伟大的国际法学家(publicists)所依凭的精神和追求的目的是相同的,因为这些伟大的国际法学家……经由对历史事实的执着研究而为创见一种理性的政治和法律哲学奠定了坚实的基础。当然,我们对萨维尼的关注还不够,或者说,我们给予他的尊重还不够。我们对我们的同胞伯克颇为了解也极为尊重,但是对他怎么尊重也不会过分。萨维尼或伯克都是达尔文之前的达尔文主义者(Darwinians before Darwin)。在某种程度上讲,伟大的法国人孟德斯鸠也是这样的达尔文主义者,但是颇为遗憾的是,他所具有的那种无可比拟的光彩四射的天赋却被整整一代形式主义者所遮蔽了。”然而,有关“达尔文之前的达尔文主义者”的说法乃是由语言理论家最早提出的

（参见 August Schleicher, *Die Darwinsche Theorie und die Sprachwissenschaft*, Weimar, 1869，以及 Max Müller, "Lectures on Mr. Darwin's Philosophy of Language", *Frazer's Magazine*, Vol. VⅡ, 1893, p. 662）；Pollock 似乎就是从这两位论者那里借用了这个说法。

[22]参见 Leonard Nelson, *Rechtswissenschaft ohne Recht*, Leipzig, 1917。

[23]John Austin, *Jurisprudence*, third edition, London, 1872, p. 555.

[24]*Discours de la Methode*, "il etait sorti autant de deraison sociale et d'aberrations metaphysiques, d'abstractions et d'utopies, que de donnees positives, que s'il menait a Comte il avait aussi mene a Rousseau"; Albert Sorel, "Comment j'ai 1u la Réforme Sociale", *Réforme Sociale*, 1st November, 1906, p. 614，转引自 A. Schatz, *L'individualisme economique et sociale*, Paris, 1907, p. 41，以及 H. Michel, *L'Idée de l'Etat*, 3rd ed, Paris, 1898；在讨论笛卡尔思想影响法国社会思想的论著中，这两本书可以说最具启示意义。

【本文补充注释】

[1]Sten Gagnèr, *Studien zur Ideengeschichte der Gesetzgehung*, Uppsala, 1960, pp. 208 and 242。他的研究表明，"自然法"（natural law）和"实在法"（positive law）这两个术语都源出于 Gellius 在公元 2 世纪采用 *naturalis* 和 *positivus* 这两个拉丁形容词来表达 *physis* 和 *thesis* 这两个希腊名词之含义的努力。这表明，充斥于法律实证主义与自然法理论间分歧的混乱状况，可以直接追溯至上文所述的二分观谬误，因为显见不争的是，法律规则系统（因而也包括那些只有作为这种系统之一部分的规则的时候方具有意义的个别规则）属于那些"人之行动而非人之设计的结果"的文化现象。

[2]正是 Herr Christoph Eucken 的提醒，才使我关注到了这样一个事实，即 Herodotus 在其所著 *Histories* 一书的开篇语中对源出于人（之行动）的东西（*ta genomena ex anthrōpōn*）与他们所成就的伟大且惊人的作品（*erga megala kai thōmasta*）之间所做的界分表明，他要比此后的许多古希腊人更为清楚地意识到了我们在本文中所讨论的那种界分。

知识的僭妄*

这次演讲的特殊场合，连同当今经济学家所必须面对的那种至关重要的实际问题，基本上决定了我必须选择“知识的僭妄”这个论题作为此次演讲的题目。从一个方面来看，人们普遍认为，经济学已然在某种程度上赢得了自然科学(the physical sciences)所具有的尊严和声望，而新近设立诺贝尔经济科学纪念奖(the Nobel Memorial Prize in Economic Science)的举措则可以说是经济学在不断获取自然科学之尊严和声望这个进程中迈出的具有关键意义的一步。而从另一个方面来看，人们此时此刻正在要求经济学家对这样一个问题发表看法，即如何才能使自由世界从日益加剧的通货膨胀这一严重的威胁当中摆脱出来；然而我们必须承认，当下的通货膨胀乃是由大多数经济学家在此前推荐给政府的那些政策(甚至是他们敦促政府采取的那些政策)所导致的结果。此时此刻，我们实在没有什么可以引以为自豪的，因为作为职业经济学家，我们已经把事情完全搞糟了。

---

* 本文是我(哈耶克)于1974年12月11日在斯德哥尔摩所做的诺贝尔纪念奖演讲的文本，最初发表在 *Les Prix Nobel en* 1974, Stockholm, 1975。

在我看来，经济学家之所以未能以一种比较成功的方式指导政府政策，实是与他们总是倾向于尽可能全力地去模仿业已取得辉煌成就的自然科学的做法紧密联系在一起的——然而一如我们所知，在经济学领域中，这种努力则可能酿成大错。这种认识进路也就是那种最终被称之为“唯科学”的态度（“scientistic”attitude）——正如我在大约三十年以前对它所做的定义那样，所谓“唯科学”的态度，“就该术语的真实含义而言，根本就是不科学的，因为它把某些领域中形成的思维习惯机械地且不加批判地套用于其他一些领域，而我们知道，这些领域乃是与产生这些思维习惯的那些领域截然不同的”[1]。今天，我想首先解释这样一个问题，即这种唯科学谬误究竟以何种方式直接导致了近年来经济政策中所发生的一些最为严重的错误。

我认为，在过去的30年当中一直指导着货币金融政策的理论，在很大程度上是人们错误地理解了那种适当的科学方法而导致的一个结果。这种理论宣称，在总就业与人们对商品和服务的总需求的规模之间存在着一种正比例关系。因此，这种理论使人们产生了这样一种信念，即通过把货币开支的总量维持在一个适当的水平上，我们就能够永远确保充分就业。当然，在人们为了解释大范围失业这种现象而提出的各种各样的理论当中，上述理论很可能是唯一一种能够得到强有力的量化证据支撑的理论。然而，我依旧认为它是一种根本错误的理论，而且按照这种理论行事，一如我们现在所经验的那样，也是极其有害的。

据此，我们必须对其间涉及的一个关键问题进行追问。与自然科学中的情势不同，在探讨极其复杂现象的经济学和其他一些学科当中，我们能够用我们得到的量化基据（quantitative data）加以说明的事件的面相，必定是极为有限的；再者，我们能够按此方式说明的面相，甚至有可能不是其间的重要面相。在自然科学中,人们一般都认为(而且他们也可能有充分的理由这样认为),对被观察事件起着决定性作用的任何一项因素,其本身也是可以得到直接观察和计量的。但是,市场乃是以众多个人之行动为依凭的,因此在研究诸如市场这类极其复杂的现象的领域中,对决定一个过程之结果的所有情势,几乎永远都不可能得到人们的充分认识或计量——而至于这方面的原因,我将在后面做出解释。再者,在自然科学中,研究者能够对他依据一种自明的理论而认为重要的东西进行计量,但是在社会科学中,那些碰巧可以计量的东西却往往被视为重要的东西。情势有时候竟然发展到了这样一个地步,一些人甚至站出来要求我们必须按照这种方式建构我们的理论,亦就是说我们的理论只能够讨论那些可以计量的量值*。

毋庸否认,这样一种要求对那些应当被人们承认为可能构成了现实世界中所发生的事件的原因的事实做了相当武断的限定。然而,这种常常被一些论者相当幼稚地认为是科学方法所要求的观点,却导致了一些相当荒谬的后果。当然,就市场和一些与之相似的社会结构而言,我们虽说知道了大量的事实,但是这些事实却是我们无力对之进行计量的;即使就我们所知道的这些事实来说,我们所掌握的也只是一些极不精确且相当一般化的信息。再者,由于这些事实在任何特定情势中的效用是不可能通过量化证据加以证实的,所以这些事实的效用也就被那些只承认那种被他们视作是科学证据的因素的人忽视不顾了。这些人还会因此而产生这样一种虚幻的感

---

* 哈耶克关于科学方法以及科学与经济学关系的讨论,请参见本丛书所收入的哈耶克于1955年发表的《解释的程度》、于1956年发表的《专门化或专科化的两难困境》、于1963年发表的《经济学、科学与政治学》以及于1964年发表的《复杂现象理论》等论文。——邓正来注

觉,即他们能够计量的因素才是唯一相关的因素。

比如说,总需求与总就业之间的相关关系,也许只是一种近似相关的关系,但是由于它是**唯一**一种我们拥有量化基据的关系,所以它也就被人们认定为唯一具有重要意义的因果关系。因此,根据这个标准,完全有可能存在这样一种“科学”的证据,它们更有助于支撑一种错误的理论,而无益于佐证一种有效的解释。换言之,这种错误理论之所以被接受,实是因为它更加“科学”,而一种有效的解释之所以被否弃,则是因为我们没有足够的量化基据可以用来支撑它。

为了阐明这个问题,请允许我简要地讨论一下我所认为的造成大范围失业的主要的实际原因。当然,我所做的这个简要的阐述还可以解释为什么当下流行的理论所建议采纳的通货膨胀政策不可能长久地根治这种大范围失业的问题。我个人以为,对这个问题的正确解释应当指出,人们对不同商品和服务的需求分布与人们对生产那些商品和提供那些服务所需要的人力资源和其他资源所做的配置之间存在着不相一致的现象。我们对于下述三个问题可以说已经拥有了相当丰富的“质化”知识(qualitative knowledge):第一,促成经济系统之不同部门中供求关系达致平衡的各种力量;第二,达致这种平衡所需要的各种条件;第三,有可能阻碍供求关系达致平衡的各种因素。人们在阐释这个过程时所采取的那些彼此独立的步骤,乃是以那些具有日常经验意义的事实为基础的。再者,在那些不辞辛劳进行这种论证的论者当中,几乎不会有人会对那些事实性假设的有效性或者对由此得出的那些结论在逻辑上的正确性提出质疑。实际上,我们有充分的理由认为,失业不仅意味着相对价格和工资结构已经蒙遭扭曲(通常是由垄断性价格控制或政府所采取的定价措施所导致的),而且还意味着为了在所有部门恢复人力供求间的平衡关系,相对价格的变化和劳动力的部分转移就是极为必要的。

为了确使人们所提供的产品和服务能够得到顺利且持续的出售,我们就必须有一种特定的价格和工资的结构作为支撑。但是,当我们被要求提供支持这种特定结构的量化证据的时候,我们必须承认,我们并不拥有这方面的信息。换言之,我们所知道的乃是某些一般性条件,而只有根据这些一般性条件,我们所称之为的那种均衡的状况才会得到自我形成(当然,把这种状况称之为均衡,多少有些误导)。但是,我们根本就无法知道,如果市场要促成上述均衡,那么我们需要拥有什么样的特定的价格或工资。我们能够指出的只是在什么样的条件下我们能期望市场所确定的价格和工资可以使需求与供给达到平衡。但是,我们却根本没有能力提供统计学上的信息,用以表明当下的价格和工资在多大程度上偏离了那些能够确保当下的劳动力供应得到持续出售的价格和工资水平。尽管对失业的原因所做的这种解释乃是一种经验理论(所谓经验理论,乃是在这种意义上讲的,即这种理论有可能被证伪,比如说有可能发生这样的情形:在持续供应货币的情况下,工资的普遍增长并没有导致失业),但是这种理论肯定不是我们可以用来做出有关工资率或劳动力分布的具体的量化预测的理论。

一如我们所知,在自然科学领域中,一个科学家当然应当就有关事实提供准确的信息。然而,我们为什么在经济学领域中必须宣称自己对某种类型的事实处于无知状态之中呢?当然,那些深受自然科学典范影响的社会科学家们一定会对这种境况极为不满,并固执地奉行他们在自然科学领域中发现的那些有关证据的准则,这是不难理解的。造成这种事态的原因就是我在前文简要论及的那个事实,即尽管社会科学在很大程度上与生物学相类似,但它却与绝大多数其他的自然科学学科不同,因为社会科学必须处理的乃是那些在本质上极为复杂的结构。换言之,社会科学必须处理的乃是那些唯有通过建构由较多变量构成的模型才能够揭示出其特性的结构。比如说,竞争就是这样一种过程,因为我们知道,只有当竞争在相当多的行动者之间展开的时候,它才会产生一定的结果。

在一些领域中,尤其是在发生类似问题的自然科学领域中,研究者无须使用有关个别要素的具体信息,而只需使用有关要素的各种特征的出现概率或相对频率的基据就可以克服其间的困难了。但是,只有当我们所处理的是沃伦·威佛(Warren Weaver)博士(前洛克菲勒基金会成员)所说的"无机的复杂现象"(phenomena of unorganized complexity)的时候,以上所论才是有意义的;而所谓"无机的复杂现象",乃是与我们在社会科学领域中必须进行探讨的那些"有机的复杂现象"(phenomena of organized complexity)不尽相同的[2];然而需要指出的是,只有为数不多的论者理解了这两种现象之间所存在的区别,因此我认为,这一点应当得到更多人的理解。有机的复杂现象在这里意味着:那些呈现出这种复杂性的结构的特征不仅依赖于构成它们的个别要素所具有的特征以及它们出现的相对频率,而且还取决于这些个别要素彼此联系的方式。正是出于这个原因,我们在解释这些结构之运作的时候就不能用统计信息来取代我们有关个别要素的信息,而是必须充分掌握有关每个要素的充分信息——只要我们想通过我们的理论对个别事件做出具体预测。如果我们没有有关个别要素的具体信息,那么我们就只能够做出我在另一篇文章中称之为的模式预测(pattern predictions)——亦即对那些自我形成的结构的某些一般性特征所做的预测,而不包括对构成这些结构的个别要素的具体阐述[3]。

这对于我们用以解释那种决定着相对价格和工资体系——亦即在一个运转良好的市场中自我形成的那些相对价格和工资的体系——的因素的理论来说,尤为确切。在确定这些价格和工资的过程当中,每一个参与市场过程的行动者所拥有的特定信息都会产生某种影响——这些具体事实的总和在整体上讲是不可能为任何科学观测者所知道的,甚或也是不可能为任何其他个人所知道的。一如我们所知,在此基础上而展开的对资源配置的过程中,多于任何个人所能够掌握的有关特定事实的知识(亦即只能以分散的方式存在于无数个人当中的那种知识)都会得到运用。事实上,这就是市场秩序优越性的渊源之所在,也是市场秩序在未遭政府权力压制的时候一般都能够取代其他类型秩序的原因之所在。据此我们可以说,由于我们这些从事观察的科学家不仅根本不可能知道市场秩序的全部决定因素,而且也不可能知道需求在何种价格和工资的特定结构中会与供给达致平衡,所以我们不可能计量出它们对市场秩序的偏离程度。此外,我们也不可能用统计学的方式来检测我们的理论:正是对价格和工资这个"均衡"体系的偏离,才使得按定价出售某些产品和提供某些服务成为不可能。

在我继续对我现在所关注的问题——亦即上述情况对当下采取的就业政策所造成的影响的问题——进行阐释之前,请允许我以更为具体的方式对我们的量化知识(numerical knowledge)所固有的限度做出界定,因为这些限度常常为人们所忽视。我这样做的目的是不想给人们留下这样一种印象,以为我一概反对人们在经济学研究中使用数学方法。实际上,即使当我们对那些决定某种模式之具体表现形式的数值一无所知的时候,数学方法仍能够通过代数方程这种方式使我们描述出这种模式所具有的一般性特征。这也正是我认为数学方法所具有的巨大益处之所在。如果没有这种代数方法,那么我们就很难对不同事件在市场中相互依赖的现象形成一种全面的认识。然而需要指出的是,数学方法也导致人们产生了这样一种幻想,即我们可以用这种方法去预测和确定那些量的数值;此外,它还致使人们去探寻那些量的常数或数的常数,而我们知道,这种努力注定是徒劳无功的。尽管现代数理经济学的奠基者们并没有这样的幻想,但是上述情况还是发生了。的确,他们描述市场均衡模式的方程式系统就是按照这样一种方式来建构的:**如果**我们能够把抽象方程式中的所有空白都填上,也就是说,**如果**我们知道这些方程式的所有参数,那么我们就能够计算出所有出售的商品和服务的价格和数量。但是,正如这一理论的创始者之一帕累托(Vilfredo Pareto)所明确指出的那样,这种理论的目的并不是"达到对价格的量化计算",因为一如他所说的那样,假定我们能够探明并确定所有的基据,实是极为"荒谬"的[4]。实际上,现代经济学的杰出先驱,亦即16世纪的西班牙经院学者,早就洞见到了这个重要问题:正如他们强调指出的那样,他们所谓的*pretium mathematicum*(即数理价格),取决于无数的特定情势,因此,这种价格只有上帝才能够知道,而绝不是任何人所可能知道的[5]!我常常希望我们的数理经济学家能够把这个道理牢记于心。我必须承认,我直到现在仍然怀疑他们对可计量的量值所做的探寻工作是否对我们**从理论上**理解经济现象这一点做出过重大的贡献——这不同于他们在描述特定情势的方面所具有的价值。与此同时,我也不打算接受这样一种借口,即这一分支学科仍然很年轻,因为我们知道,配第(Willian Petty)爵士,亦即计量经济学的奠基者,毕竟是牛顿(Isaac Newton)爵士在皇家学会中的一位老同事了!

认为只有可计量的量值才是重要的因素的观点实是一种迷信。当然,可以说明这种迷信已经在经济学领域中造成了实际危害的事例可能为数甚少，但是不容否认的是，当下存在的通货膨胀和就业问题却是其间极为重要的一个事例。它导致了这样两个后果：第一，造成大范围失业的真正原因很可能被绝大多数信奉唯科学主义的经济学家忽视了，因为这种原因的作用是不可能用这些经济学家在那些可计量的量值之间直接观察到的关系加以证实的；第二，这类经济学家几乎只关注那些在量上可计量的表面现象的做法，产生了一种致使问题变得更糟的政策。

当然，我们必须承认这样一个事实，即我认为对失业问题做出真正解释的那种理论乃是一种在内容上颇为有限的理论，因为这种理论只允许我们对我们在一种给定的情势中必定会预期的事件**类型**做出极为一般性的预测。但是，那些更为雄心勃勃的解释对政策所造成的影响却不是非常幸运的，而且我承认，与那种伪装成精准但却可能是谬误的知识相比较，我宁愿接受那种虽不完美但却真实的知识，即便它会使许多事情都处于不确定的和不可预测的状态。的确，那些看似简明但却错误的理论往往会因为表面上遵循那些公认的科学标准而得到人们的赞誉，但是正如我所列举的那种理论的情势所表明的那样，这种虚名却会导致极为严重的后果。

在我们上文讨论的情形中，当今居于支配地位的“宏观经济学”理论（“macro-economic”theory）主张采取一种增加需求总量的措施以对失业问题予以救济，然而事实上，这类措施已经成了人们大范围错误配置资源的一个原因，而这种错误配置资源的做法则可能使此后的大规模失业变得无从避免。向经济体系中能够创造暂时需求的那些部门持续注入额外的货币数量（当货币数量的增加终止或放慢速度的时候，这种暂时的需求也会消失），连同人们对价格持续上升的预期，确实会使人力资源和其他资源得到使用；但是只有当注入的货币数量以相同的速率持续增长甚或以一种给定的速率持续加速增长的时候,人力资源和其他资源得到使用的状况才会持续下去。这种政策所导致的后果,与其说是一种无法以其他方式达致的就业水平,不如说是一种不可能无限期维持的就业分布状况。值得注意的是,在一段时间以后,只有通过一定的通货膨胀率才能使这种就业分布状况维持下去。但是这种通货膨胀率却很快就会使所有的经济活动都堕入一种混乱的状态之中。事实上,我们已经被一种错误的理论观点导入了一种危险的境地之中,并使我们无法阻止严重失业的情形一再发生;而我们之所以无力阻止这种情形的一再发生,并不是因为这种失业的情形是人们为了抑制通货膨胀而刻意促成的(正如这种观点有时候被错误阐述的那样),而是因为通货膨胀一旦停止加速,就注定会导致上述失业的情形——亦即过去采取的错误政策所导致的一种令人深感遗憾但却无从避免的后果。

然而,我现在却不得不把这些迫在眉睫并且具有实际重要意义的问题搁置在一边。当然,我之所以在上文对这些问题进行简要的讨论,在很大程度上是想说明这样一个道理,即人们在科学哲学这类抽象问题方面所犯的错误会导致极为严重的后果。实际上,就如同我们有理由对上文所讨论的那些问题深感忧虑一般,我们也有极为充分的理由对那些因人们不加批判地接受某些徒具科学外表的论断而在一个更为宽泛的领域中埋下的长期危险深感担忧。通过这种局部论证的方式,我主要是想揭示这样两个问题:第一,在经济学领域中(同时我相信这也是若干研究人类的科学领域中的普遍情形),那种在表面上看似最为科学的方法往往是最不科学的;第二,在这些领域当中,我们能够期望科学达致的成就是有着明确限度的。这意味着:要求科学达致——或者要求根据科学原则所进行的刻意控制能够达致——科学方法根本就无力达致的成就,有可能会导致灾难性的后果。当然,自然科学自现代以来所取得的进步大大超出了人们的预料,以至于任何认为自然科学的发展存有自身局限性的说法都注定会受到人们的质疑。一如我们所知,有一些论者甚至希望,只要我们把我们日益增长的预测能力和控制能力——通常被认为是科学进步所达致的独特成就——适用于社会过程,那么我们很快就能够完全按照我们的意愿去型构社会;因此,这些论者特别反对那种认为自然科学的发展存有自身局限性的洞见。的确,与自然科学的发现有可能给我们带来的惊喜不同,我们在研究社会的过程中所获得的那些洞见常常会对我们的抱负产生某种抑制作用。当然,经济学领域中一些比较冲动性急的青年经济学家并不总是准备接受这种看法的,而这也无须令人感到惊讶。然而。人们对科学具有无限力量所抱持的信心却往往是以这样一种错误的信念为基础的,即科学方法乃是应用一种现成的技术或是模仿科学方法的形式而不是科学方法的实质,就好像一个人只需要按图索骥就可以解决所有社会问题似的。人们有时候甚至还会产生这样一种感觉,好像掌握科学技术比掌握这样一种思维方式还要容易,亦即那种能够告诉我们什么是问题以及如何处理这些问题的思维方式。

公众为了满足自己当下的愿望而期望科学取得的成就与科学实际上所能够取得的成就之间的冲突,实是一个极为严重的问题,因为一如我们所知,只要公众期望过多,那么就总会有人假装——也许是真诚地以为——他们能够在满足公众需要的方面做出远远大于他们实际上能够做出的贡献,尽管真正的科学家都应当承认,他们在人类事务领域中所能够取得的成就是相当有限的。毋庸置疑,想让一个普通百姓在那些以科学名义提出的主张当中区分出哪些是合理的主张和哪些是不合理的主张,在许多情况下都是不可能的,即使对于一个专家来说也是极为困难的。近来,媒体对一份以科学名义发表的名为《增长的极限》(*The Limits to Growth*)的报告做了大量的宣传和炒作,然而却对该份报告受到的来自一些极富才能的专家提出的完全否定的批判观点保持沉默[6];这种情况肯定会使人们对这般滥用科学名誉的做法感到忧虑。但是需要指出的是,人们并不只是在经济学领域中才盗用科学的名义来提出那些产生了极其广泛影响的主张的:一是主张用更为科学的方法来指导所有的人类活动,二是认为用"人类有意识的控制"来取代自生自发过程的做法是可欲的。如果我没有搞错的话,我所说的那种唯科学的偏见和那些妄称科学能够取得无限成就的虚假主张实际上对心理学、精神病学乃至社会学的某些分支学科(更不用说所谓的历史哲学了)产生了更大的影响[7]。

如果我们想维护科学的声誉,如果我们想阻止某些人因采用的方法与自然科学方法具有某种表面上的相似性而妄称拥有某种知识的做法,那么我们就必须竭尽全力去揭露这类行径,因为我们知道,从今天的情势来看,部分这类行径已经成了一些历史悠久的大学院系部门的既得利益之所在。就此而言,我们无论怎样感激卡尔·波普尔(Karl Poppor)爵士这样的现代科学哲学家都不为过,因为他为我们提供了一项我们能够据以区分出何者是可以被视作科学的知识以及何者是不能被视作科学的知识的检测标准。我确信,一些现已被人们普遍视作是科学的学说是无法通过波普尔所提出的这个检测标准的。然而,就那些在本质上极为复杂的现象而言(社会结构可以被视作是这些复杂现象当中的一个特别重要的事例),还存在着一些特殊的问题。正是考虑到这些特殊的问题,我希望在此次演讲结束的时候能够用较为一般的方式重述下述两个问题:第一,在这些领域中,人们为什么在预测具体事件的时候会遇到难以逾越的障碍呢?第二,人们自以为拥有那种能够使他们克服这些障碍的科学知识并按照那种知识行事,为什么本身就会成为人类智力发展方面的一个严重障碍呢?

我们必须牢记这样一个关键要点,即自然科学所取得的长足发展实是在这样一些领域中发生的:其间,事实证明,人们所做的解释和预测可以以某些能够对被观察的现象(亦即为数极少的几个变量——或者是特定的事实或者是事件发生的相对频率——所发生的作用)做出说明的规律为基础。这甚至有可能是我们之所以把这些领域挑选出来称之为"自然"领域的根本原因,以区别于我在本文中所说的"本质上复杂的现象"的那些有机程度较高的结构。所谓有机程度较高结构中的情形肯定与"自然"领域中的情形相一致的观点,实是毫无道理可言的。人们在起初的时候有可能猜测说,我们在上述有机结构领域中遇到的困难乃是我们在阐释并创建那些能够解释被观察事件的理论方面的困难;但是事实却是,我们在这些领域中遇到的困难并不是我们在阐释并创建那些理论方面的困难——尽管它们会在检测论者提出的各种解释方面引发某些特殊的困难,进而还会在否弃某些水平较差的理论方面导致某些特殊的困难。这些困难之所以会产生,实是因为这样一个重要的问题所致,亦即当我们把我们的理论适用于现实世界中任何特定情势的时候所会产生的那种问题。一种研究那些在本质上特别复杂的现象的理论,必定会关涉到大量的特定事实;因此,如果我们想从这种理论当中推论出一项预测,或者是对这种理论进行检测,那么我们就必须探明并确定所有这些特定的事实。一旦我们在这个方面取得了成功,那么从中推论出能够经受检测的预测也就不会有什么特别的困难了——在现代计算机的帮助下,把这些数据填到理论论式的适当空位之中并从中推论出一项预测,当是轻而易举之事。实际上,真正的困难乃在于探明并确定那些特定的事实,因为,第一,在克服这种困难的方面,科学不可能有所作为;第二,有时候,这种困难还确实是一种无法克服的困难。

我们只需举一个简单的例子就能够说明这种困难的性质。我们可以设想这样一种情形:若干球艺水平大体相当的人进行一场球赛。如果我们除了大体知道每个球员的能力以外还知道若干特定的事实,比如说,在比赛的每一刻,他们的精神集中状态、他们对球的感觉以及他们的心肺状况乃至肌肉状况等,那么我们就很可能预测出比赛的结果。当然,如果我们既熟悉这种比赛又了解进行比赛的球队,那么我们对于比赛结果所需依凭的条件也极可能会有相当准确的认识。但是需要指出的是,我们却显然无力探明并确定那些事实,因此,比赛的结果也是科学预测所不能企及的,而不论我们多么明确地知道特定事件会对比赛的结果产生什么影响。这并不意味着我们对这样一种比赛的过程无法做出任何预测。如果我们了解不同的比赛规则,那么我们在观看一场比赛的时候马上就可以知道正在进行的是什么比赛,而且也能够预期看到什么样的动作和看不到什么样的动作。但是,我们的预测能力也只能够使我们对那些可以预期的事件的一般性特征做出预测,而无力对特定且个别的事件做出预测。

这种预测相当于我在此前所称之为的那些纯粹的模式预测。当我们从那种受相对简单的规律支配的领域一步步进入那种有机复杂的现象领域的时候,我们也就越来越只能进行那种模式预测了。当我们不断取得进步的时候,我们会越来越频繁地发现,我们实际上能够探明并确定的只是决定着一种特定过程之结果的部分特定情势而不是全部的特定情势;因此,我们也只能够预测出我们必须预期的那种结果所具有的某些特征而不是所有的特征。更有甚者,我们能够预测的往往只是那种将会显现出来的模式所具有的某种抽象的特征——而有关不同种类要素之间的关系,作为个人的我们却仍旧知之甚少。然而,正如我特别想重申的那样,我们还是可以做出一些可以被证伪因而具有经验意义的预测。

当然,与我们在自然科学中能够期望取得的那些精确预测相比较,上述那种纯粹的模式预测,对于那些始终感到不满足的人来说,只是一种次优的结果而已。然而,我想告诫大家这里存在着一种危险,这就是人们现在普遍持有的那种信念:为了使一种主张被人们当作一种科学的主张接受下来,我们就必须取得更多的成就。持有这种信念的人,不是在假充内行,就是在坑蒙拐骗,甚至还有过之而无不及。认为我们拥有能够使我们完全按照自己的喜好去型构社会发展进程的知识和能力并根据这种信念行事(事实上我们并不拥有这种知识和能力),极可能使我们给其他人和社会造成大害。在自然科学领域中,几乎不会有人反对人们去尝试做一些不可能的事情;人们甚至还会认为,不应当给那些过于自信的人士泼冷水,因为他们的实验毕竟有可能产生某些新的洞见。但是在社会领域中,那种认为实施某种权力会产生有益结果的错误信念,却有可能致使人们把一种新的强制其他人的权力授予某个权力机构。即使这种权力本身并不是一种恶的权力,对这种权力的实施却仍可能阻碍自生自发的有序化力量发生作用;虽然人们对这些自生自发的有序化力量知之甚少,但是事实上,它们却大大有助益于人们追求各自的目的。我们只是刚刚开始认识到,发达工业社会之运行赖以为基础的交流系统(亦即我们称之为的市场)是多么的巧妙和微妙,而且事实证明,这种交流系统在整理和运用分散信息(dispersed information)的方面乃是一种比人们刻意设计出来的任何机制都更为有效的机制。

如果人们在努力改进社会秩序的过程中不想使他们的所作所为弊大于

利,那么他们就必须明白这样一个道理,亦即在社会领域中,正如在本质复杂的有机体居于支配地位的所有其他领域中那样,他们根本就不可能获得那种可以使他们掌控事件成为可能的充分知识。因此,他们必须运用他们所能够获得的知识,像园丁培植其植物那样,经由提供适宜的环境去促成社会的发展,而决不能像手工艺人打造手工艺品那样刻意地塑造其产品。的确,人们对自然科学的进步所产生的不断增长的力量感到无比欣喜,但是这里也存在着一种危险,因为正是这种不断增长的力量会诱使人们在"被胜利冲昏头脑的情况下"(套用早期共产主义特有的一种说法),不仅试图去控制我们的自然环境,而且还妄图去宰制我们的社会环境。的确,如果社会研究者认识到自己的知识有着无从克服的局限性,那么他们就应当明白谦逊的道理,而正是这种谦逊才会使他们避免在某些人力图控制社会的过程中成为这些人的帮凶——然而我们必须指出,这种试图控制社会的企图是致命的,因为它不仅会使这些人变成宰制其同胞的暴君,而且还完全有可能会使他们成为这样一种文明的摧毁者——这种文明并不是任何头脑设计出来的,而是在无数个人的自由努力或自由尝试的过程当中逐渐发展起来的。

【注释】

[1] "Scientism and the study of society", *Economica*, Vol. Ⅸ, no. 35, August 1942, 重印于: *The Counter-Revolution of Science*, Chicago, 1952。

[2] Warren Weaver, "A Quarter century in the Natural Sciences", *The Rockefeller Foundation Annual Report* 1958, chapter Ⅰ, "Science and Complexity".

[3] 参见拙文: "The theory of complex phenomena" in *The Critical Approach to Science and Philosophy. Essays in Honor of K. R. Popper*, ed. M. Bunge, New York,

1964,重 印于拙著: *Studies in Philosophy, Politics and Economics*, London and Chicago, 1967。

[4] V. Pareto, *Manuel d' économie politique*, 2nd ed. , Paris, 1927, pp. 223 ~224.

[5] 例如, Luis Molina, *De iustitia et iute*, Cologne, 1596 ~ 1600, tom. II, disp. 347, no. 3, 尤请参见 Johannes de Lugo, *Disputationum de iustitia et iure tomus seoundus*, Lyon, 1642, disp. 26, sect. 4, no. 40.

[6] 参见 *The Limits to Growth: a Report of the Club of Rome's Project on the Predicament of Mankind*, New York, 1972; 资深经济学家对这份报告的系统检讨,见 Wilfred Beckerman, *In Defence of Economic Growth*, London, 1974;专家们在此前所做的一系列批评,请参见 Gottfried Haberler, *Economic Growth and Stability*, Los Angeles, 1974,他极为确当地指出,这些专家的批评是"完全否定的"。

[7]我在就任萨尔茨堡大学客座教授的就职演说中,曾经对这些趋势在其他领域中的事例做了一些说明,见 *Die Irrtümer des Konstruktivismus und die Grundlagen legitimer Kritik gesellschaftlicher Gebilde*, Munich, 1970,现在又重新出版: Walter Eucken Institute, at Freiburg i. B. , by J. C. B. Mohr, Tübingen, 1975,英文译本请参见本书第一章。

两种心智类型[***]

很早以前，一件偶然的事情使我注意到了两种科学心智类型之间所存在的某种差异。自此以后，我一直在关注这个问题；直到今天，我对它的着迷程度也没有丝毫的减弱。实际上，我早就想把这两种心智类型之间的差异描述出来，但是我却因为这种工作本身所必定呈现出来的某种自吹自擂的特性而一直未能将此项工作付诸实施。我之所以对这个问题颇有疑虑，具体言之，在很大程度上是因为这样两个事实所致：第一，我本人就属于那种不太符合常规心智类型中的一个相当极端的事例；第二，对这种心智类型进行描述，必定会在很大程度上要谈论自己，因而也必定会变成一篇就像我

---

* 本文译自哈耶克所著：*New Studies in Philosophy, Politics, Economics and the History of Ideas*, 1978, pp. 50 ~ 56。

** 本文最早发表在 *Encounter*, Vol. 45, September 1975 。此次重新发表，我（哈耶克）又做了一些补充。自本文第一次发表以来，我始终在关注这样一个事实，即本文所提出的界分与伊赛亚·伯林（Isaiah Berlin）爵士在其著名论文“刺猬与狐狸”（The hedgehog and the fox）中所阐发的那种界分之间存在着某种相似性。在此之前，我一直没有意识到这个事实，而这个事实很可能是真的。但是必须指出的是，如果我在此之前就意识到了这个事实，那么我还是肯定不会为了自己的利益而宣称说，与那些通晓许多事情的“狐狸”相对照，我是一只“知道一件大事的刺猬”。

为自己没有遵循一种公认的标准而作的辩解书。然而，我最终认识到，承认这种心智类型的学者所能够做出的贡献，有可能对高等教育政策产生重要的影响，因此，我在这里对这个问题所做的阐释也有可能对一个有意义的目的的实现发挥积极的作用。

一如我们所知，社会上存在着一种大科学家的典范，尽管这种说法有些夸张，但却不能算错。首先，这种科学家被视作是他所研究的那种论题的十全十美的大师，亦即“一科之精才”（master of his subject）：他不仅完全把握了他所在学科中的整个理论和所有重要的事实，而且还能够随时应答与其研究领域相关的所有重要的问题。即使现实生活中并不真的存在这种完美的典范人物，我还是想指出，我本人在现实生活中确实遇到过一些极为接近这种理想型模式的科学家。此外，我也相信，有许多人都认为这种理想型模式实是他们应当努力达到的标准，而且还常常会因为没有达到这个标准而为自己的力不从心深感不安。当然，拥有这种心智类型的学者也是我们渐渐学会尊崇的那种科学家，因为我们能够看到他们在实践中是如何展示这种心智的。大多数才华横溢的科学阐释者，最为成功的科学教师、科学作家和演说家，思想闪光的论者都属于这种类型。由于他们对他们所研究的论题有着全面的了解或把握，而这种了解或把握不仅包括了他们自己的观点，而且也同样包括了过去和现在的其他学者的理论，所以他们能够对之做出明晰易懂的叙述和解说。毋庸置疑，在这些把握了既有知识状况的为人们所公认的“一科之精才”当中，也有一些是最具原创性思想的学者，但是我不能肯定的是，以上所述的那种特定的才能是否真的有助于创造性的培养。

在我最亲密的同事和最要好的朋友当中，有一些就属于这种类型。他们之所以能够获得实至名归的荣誉，就是因为他们达致了我永远难以企及的那些成就。就有关科学现状的几乎任何问题而言,我认为,与我这种类型的人相比较,他们更有能力提供这方面的信息。此外,他们肯定能够以一种极为明确易懂的方式把有关的论题向外行或年轻的学生解释清楚,也肯定会给那些在未来从事实际工作的人士提供极大的帮助,而所有这些都是我无力企及的。即使如此,我仍将在本文中提出这样一个论辩,即在各种各样的机构或制度中,总是会给少数与具有上述心智类型不同的学者留有一席之地的[1]。

过去,我在与朋友的私下交谈中,常常把这种符合公认标准的科学家类型称之为“记忆型的”(the memory type)学者。但是,这种说法却有欠准确,因为他们的能力只源出于一种特定类型的记忆能力,而我们知道,实际上还存在着其他种类的记忆能力。因此,我将在本文中把这种类型的学者称之为“一科之精才”。这种心智类型的学者能够把他读过的或听到的特定东西(常常还是表达某个观点所采用的特定语词)牢牢记住,而且还能够对之保持历久长新的记忆。这种能力不是一般人所拥有的,尽管人们有能力在短时间内牢牢地记住许多事情甚或一些彼此毫无关系的事实。我自己亲身经验的事情表明,这种情形乃是显见不争的,至少在我年轻的时候,事实就是如此。当时,为了进大学深造,我必须设法完成高中教育最后一年的好几门课程,但是这些课程的作业我一点都没做过。后来,我还是通过了所有的考试,而这在很大程度上须归功于我所具有的这样一种能力,即我能够在年终考试前的几周之内用一种临时抱佛脚的方式把一个学年所应当掌握的各门课程的主要内容都牢牢地记住。但是,考试一过,我很快就把这种知识忘光了,其速度之快就如同我获取这种知识的速度一般。再者,如果我不把一个复杂论辩的论证步骤或者有用的信息纳入我自己熟知的思想框架之中,那么我就始终无法记住这些东西,而不论时间长短。

尽管我一直与那些较能博闻强识的学者共事,但是我却从来没有产生过自卑和低人一等的感受,其原因就在于我知道自己之所以能够在学术研究中获得一些有价值的新思想,实是因为我不曾拥有他们所具有的那种能力所致,比如说,我就常常无法记住每个具有这种博闻强识之能力的专家被认为应当精通的那些东西。如果说我能够对某个问题获得一种新的认识,那么这一定是我经过艰苦的努力对那些极具博闻强识之能力的经济学家在长期努力的过程中不断复述的某个论辩进行重构的结果。

众所周知,我始终宣称自己是一个受过专门训练的经济学家。那么按照上文所述,我做这种宣称所依凭的知识又是由什么构成的呢?我可以有把握地说,这种知识肯定不是由我对一些特定的陈述或论辩所保有的清晰的记忆构成的。从一般的意义上来讲,我始终都不具有把我在自己研究的论题范围内阅读过的一本论著或听过的一次讲座中的内容复述出来的能力[2]。但是确定无疑的是,我常常从这些论著或讲座中获益良多,尽管我无力在一读完这些论著或听完这些讲座之后就对它们的内容做出解释。事实上,如果我在阅读一本论著或聆听一次讲座的时候试图记住该论者或该演说者所说的内容,那么这种努力便会使我无法从中获得我本可能获得的大部分益处,至少对于那种我已经有所了解的论题来讲是如此。甚至当我还在做学生的时候,我就放弃了在听演讲的时候做笔记的努力,因为只要我一做笔记,我就无法再去理解听讲的内容了。我完全可以这样说,我因听到或读到其他人的思想而从中获益良多,而其间最大的收获就是它使我自己的思想得到了改进。当然,我听到或读到的那些内容并没有能够使我复述出他们的思想,但是却改进了我自己的思想。我不会死记他们的观点或观念,而会改进我自己的思想与他们的观点或观念之间的关系。

这种汲取思想的方式所导致的结果,可以最为恰当地比做是某种轮廓略有模糊的拼图:亦即把不同面相的文化印刷品叠加在一起的结果,而它们作为型构一种类型或一个种族之共同特征的手段,曾一度非常盛行。实际上,这样一种世界图景根本就不可能是极其精准的,但是它却为人们提供了一幅地图或一种框架。值得注意的是,在这种地图或框架中,每个人都必须通过自己的努力去发现自己的道路,因为其间绝不可能有一条严格划定的既定道路供人们共同遵循。我的思想资源给予我的并不是我能够将之组合在一起的一点一滴的明确知识,而是能够使我对一种业已存在的结构进行修正和调整的知识——当然,在这种业已存在的结构中,我还必须通过注意各种警告标志杆的方式去发现一条自己的道路。

我们可以征引怀特海(Alfred North Whitehead)的一个说法来说明这个问题:"头脑糊涂(muddleheadedness)乃是独立思考之前的一种状态。"[3]我可以肯定地说,这也是我自己的经验。正是由于我记不住那些对于其他人来说很可能是明显的答案,所以我常常会被迫就解决某个问题的方案做详尽的思考,然而这种问题对于那些思维较为有序的人来说却是根本就不存在的。当然,这种知识的存在,也是比较显见的,因为我们可以用人们经常采用的一个半开玩笑的说法——亦即那种把一个很有学识的人戏说成一个遗忘了许多东西的人的说法——来证明这一点。这类潜伏的记忆也许是指导人们进行判断的一个相当重要的指南。

我倾向于把这种心智类型的人称之为"困惑者"(the puzzlers)。但是,如果有人把这样的人称之为"糊涂者"(the muddlers),我也不会介意,因为如果这样的人在大体想明白某个论题以前就谈论这个论题,那么确定无疑的是,他们常常会给人们留下“头脑糊涂”的印象。

这些“困惑者”不仅常常会遇到困难,而且也甚少能够获得新的洞见。他们之所以会不断地遇到困难,实是因为这样一个事实所致,即他们不可能在表述他们思想的时候继续延用那些旧有的论式或论辩,而我们知道,那些约定俗成的论式或论辩则会使其他的人顺利且迅捷地达致解决问题的答案。再者,由于“困惑者”不得不找寻自己的方式去表达某个已经被接受的观念,所以他们有时候会发现那些约定俗成的论式当中隐含有不少漏洞或未经证明的默会性预设。此外,他们还会要求自己用一种明确的方式去回答那些长期以来一直不被视作问题的问题。当然,人们之所以一直不把这些问题视作是问题,实是因为他们所依凭的那种由看似有道理实则模棱两可的用语构成的含混且不合理的假设极为有效地遮蔽了这些问题。

显而易见,按照这种方式思考问题的人,亦即所谓的“困惑者”,在某种程度上所依凭的乃是一种默会的思考方式(a process of wordless thought)。值得注意的是,尽管人们偶尔也会否认这种思考方式的存在,但是在我看来,至少那些使用两种语言进行思考的人常常会诉诸这样的思考方式。当他们明确“看到了”一些事物之间所存在的某些特定关系的时候,并不意味着他们就知道如何用文字来描述这些关系。一般来讲,他们需要通过长期的努力才能够发现描述他们所见之事物的恰当的语句或术语,但是,即使在做出这样的努力以后,他们仍会真切地意识到他们所采纳的表达方式还是无法充分表达他们的意思。与此同时,这些“困惑者”还表现出了另一种多少有些令人好奇的特征。在我看来,这种特征并不罕见,但是却从来没有人对它做过描述:他们在不同领域中提出的许多具体的观点似乎都源出于某个相同的较为一般性的观念。尽管他们本人并没有意识到这一点,但是正如他们认识各自问题的进路之间存在着相似性那样,他们却有可能在晚些时候惊奇地发现这一点。

自我撰写前述段落的文字以来,我对我自己研究领域中的一些我的亲密朋友所做的进一步观察还给我留下了这样一种深刻的印象:这些我所谓的“一科之精才”,从一般的角度来看,似乎还特别容易受到他们所处环境中居于支配地位的观念以及当时所流行的思潮的影响(坦率地说,正是通过对这些朋友的观察,才在很大程度上使我萌生并形成了这些观点)。这种情势对于下述两种学者来说也许是不可避免的:一是那些努力掌握当世所有与他们研究相关的知识的学者;二是那些通常倾向于相信一种观念如果被人们广泛采纳,那么其中必有正确且具价值之知识的学者。然而,那些“头脑糊涂者”却更倾向于在拒受外界干扰的情况下固执地按照自己的方式进行思考并坚持自己的观点。我不知道这种做法有什么样的意义,但是我想,如果这里有什么值得我们注意的东西的话,那就是对于那些无法纳入其思想架构中的观点,上述“头脑糊涂者”是不太会费心思去仔细研究的。

如果上述对知识增长都具有贡献的两种不同的心智类型在社会生活中真的存在的话,那么这完全有可能意味着我们现在所拥有的那种选择合适人才进入高校的考试制度会使某些有可能做出重大思想贡献的“头脑糊涂者”面临着被排除在校门之外的危险。当然,我们还可以发现一些其他的理由来质疑这样一项原则,即所有那些而且也只有那些能够通过某些考试的学生才应当有资格进入大学学习。一如我们所知,那些曾经在中小学成绩不佳而且还在高考中落选的大科学家,可以说是数不胜数,而那些在学校里各门功课都非常优秀的学生,日后成为杰出学者的比例却相当小。在我看来,另一点也是显见不争的,即普遍适用“根据高考成绩录取大学生”这项在当下为人们所接受的原则,实际上还降低了那些因为对某一学科的浓厚兴趣而入学学习和入学深造的学生的比例。

尽管我不知道我们是否应当进一步扩招那些因通过考试而获得上大学资格的学生,但是我却深切地感到我们应当开启另一条招生途径,亦即以学生获取科学知识的欲求强度作为录取大学生的决定性标准的那种途径。这意味着学生可以通过做出某种牺牲的方式而获得入大学深造的权利。我比较有把握地认为,这种欲求的强度与为满足这种欲求而支付有关费用的能力之间几乎没有什么关系。再者,一边学习,一边从事其他工作并用从中获取的收入来资助学业,也不可能是一种适当的解决办法,尤其对于那些要求进行实验的学科来说就更不是一种妥适的办法了。在一些类似于法学院或医学院那样的职业学院中,允许学生借贷并用日后工作的收入来偿还这笔贷款的方法,也许可以解决学生求学期间的经济问题。然而,这种方法却很难帮助我们录选那些有能力献身理论工作的学生。

然而,有一些牺牲实际上是每个人都能够做到的,而且人们也完全有可能认为,只要学生做出了这样的牺牲,那么他们也就获得了要求暂时完全投身于研究他们各自选择的某项论题的机会的权利。如果学生能够通过在数年中过一种准修道性质的俭朴生活并且牺牲许多被当下经济水平下的年轻人视为当然的娱乐和幸福而获得这项特权,那么显而易见,我们也就可以渐渐地做到根据一个学生自己的努力而不用根据其他人对他的能力的判断来衡量该学生对某一学科的兴趣强度了。当然,机会最终属于那些能够在全心学习他们的专修学科后表现出才能的学生。

我所构想的乃是这样一种制度性安排,根据这种安排,选择这条道路的学生只需要拥有一些诸如住房、简单的食品、购买书籍的充足贷款等必需品就足够了,但是他们却必须决心在学习的过程中只过一种极为俭朴的生活。在我看来,与在学校各科考试中取得的好成绩相比较,那种准备在数年中放弃年轻人通常热衷的一些娱乐生活的决心,乃是个人有可能从高等教育中获益的一个更好的标示。的确,如果那些经由这种个人牺牲而赢得学习权利的学生比那些通过考试而获取这种学习权利的学生得到了其同伴更多的尊重,我也不会感到有任何惊讶的。人们一般都承认(而且这也很可能是事实),那些最伟大的成就和最受人们尊敬的成就都得归功于一种自我约束的品格,因为这种品格把一心追求一项自我选择的目标这件事置于了一种比绝大多数其他娱乐生活更重要的地位之上——这就是我们所说的一种必须把人类生活中许多其他有价值的事情牺牲掉的品格,而这也是许多伟大的科学家在其学术生涯最多产的时期必须做出的一种牺牲。

诚然,即使在这种制度性安排中,学生的录取也必须要求有关学生在其所选择的领域中具备学习能力的某种证明以及他们在学习过程中不断取得进步的证明。尽管如此,我仍然认为那些在大约四年的岁月中始终遵循特殊的自我约束纪律以完成学业的学生以及那些在此后表现出极高研究能力的学生会成为具有充分自由的研究生的主要候选人。即使在那些选择这条道路的学生当中,有一大部分人在中途放弃了这种努力,或者要么没有完成学业、要么表现平平,我还是相信这样一种制度性安排能够使我们发现并培养出有才能的学生,而没有这种安排,我们则会丧失这些有才能的学生。的确,在我看来,依据这种制度性安排而能够吸纳的那种心智类型的学者应当构成任何学术共同体中的一个重要的组成部分——当然,这种做法还可以阻止那些专门适合于考试的人确立起一种应考程式来支配所有其他的应考者,进而使其他的应考者步其后尘而无法发掘出自己的心智类型。

【注释】

[1]就这两种心智类型间的差别而言,给我留下极为深刻之印象的最早人物乃是彭巴威克(E. von Bohm-Bawerk)与威瑟(F. von Wieser)。彭巴威克先生,毋庸争议,就是一位"一科之精才",不过我只是在孩提时代见过他;而威瑟则是我的老师,他从许多方面来讲都是一位困惑型的学者。熊彼特(J. A. Schumpeter)是"一科之精才"的另一位代表人物。他曾经对威瑟做过这样的描述,"大凡进入威瑟知识世界的经济学同仁,即刻都会发现自己进入了一个新天地。人们就好像进入了一间与我们今天的住宅截然不同的房间一般。对于新进入的人而言,这个房间的结构设计和家具摆设都是极为陌生的,而且也不是一下子就能够理解的。几乎没有哪个学者比威瑟更具有原创力,因为绝大多数学者都必须仰赖许多其他学者已然做出的贡献,而威瑟的思想在根本上讲却不是渊源于任何其他学者的,当然也有一个例外,这就是门格尔(Menger)的思想;然而,即使是门格尔的思想,对于威瑟来说,也只是一种启示而已。结果,在很长一段时间里,经济学界的许多同仁都不知道该如何去对待威瑟的著作。在他的知识大厦中,每一样东西都是他自己的知识财产,即使当他所说的东西早在他之前就已经被其他论者说过的时候,亦复如此"(摘自熊彼特于威瑟70岁生日之际发表在一家威尼斯报纸上的纪念文章;在我撰写的有关威瑟去世的文告中,我用更长的篇幅征引了熊彼特的评论文字,而我的这篇文告后来又被当作威瑟所著 *Gesammelte Aufsatze* 一书的导论重新发表,Tubingen,1927)。这种界分似乎还可以见之于芝加哥大学两位极富影响的经济学教师:卫纳(Jacob Viner)在很大程度上可以代表"一科之精才";而奈特(Frank H. Knight)则是一位困惑型的学者,当然前提条件是存在着这种困惑型的学者。

[2]这听起来像似一个大学教师所做的一种不可理喻的表白,因为我在约40年的时间里持续不断地在开设经济思想史讲座而且还很热衷于这项工作。的确,我

本人对早些时候学者的论著一直有着很大的兴趣,而且还从中获益匪浅。不知怎么地,我总是愿意对这些学者的生活和人格进行重构,尽管我从不幻想这种做法可以对他们的科学信念给出任何解释。我相信,我在我开设的讲座中通过讨论他们对其他学者的影响而相当充分地描述出了他们对经济学发展的影响。但是,我告诉我的学生的东西,基本上是我从那些学者的论著中学到的东西,而主要不是他们思考的东西。在我看来,我从那些学者那里学到的东西与他们思考的东西很可能是颇为不同的。

[3]我本人并不认识怀特海(A. N. Whitehead),但是从我对卢塞尔(Bertrand Russell)的印象来看,我有时候认为,这两位著名的合作者似乎是另一对可以很好地证明本文所讨论的那两种心智类型的思想家。